MAGIE NOIRE
AU COLLÈGE

Pour Adrien, Corentin et Maxime...

Responsable de la collection : Frédérique Guillard
Direction artistique : Bernard Girodroux, Claire Rébillard

CHRISTINE AUBRÉE

MAGIE NOIRE AU COLLÈGE

Illustrations de Stanislas Barthélémy

NATHAN

Ce lundi-là
a commencé
comme tous
les autres.

1 UN FANTÔME DANS LA CHAMBRE ?

Ce lundi-là a commencé comme tous les autres lundis. Maman est venue me réveiller avec un bisou et a tiré les rideaux avant d'aller sortir mon petit frère du lit. Comme d'habitude, j'ai entendu Basile grogner à travers la cloison qui séparait nos deux chambres. Il a prétexté une fièvre subite et une violente éruption de boutons. Il avait horreur de l'école et, chaque matin, il cherchait le moyen d'y échapper. Ça ne coûte rien d'essayer ! me disait-il ensuite.

Cela me faisait toujours rire. Le sourire aux lèvres, j'ai traversé le couloir sur la pointe des pieds pour aller dans la salle de bains, située juste en face de sa chambre.

J'ai regagné ma chambre pour m'habiller.

Pendant ma toilette, je l'entendais encore se plaindre.

– J'ai mal aux yeux. Je vois des chauves-souris de toutes les couleurs quand je me lève, disait-il à maman qui commençait à s'impatienter.

Il exagérait ce matin. Des chauves-souris ! Pourquoi pas des dragons ou des extraterrestres ?

J'ai terminé ma toilette et regagné ma chambre pour m'habiller. J'ai regardé par la fenêtre : il faisait encore beau en ce début de mois d'octobre, je pouvais mettre une robe.

J'ai enfilé la bleue et plongé dans le bas de mon armoire pour chercher les chaussures qui allaient avec. J'allais resurgir, sandales à la main, lorsque les portes se sont refermées sur moi !

Abasourdie, je me suis retrouvée à quatre pattes, le nez collé contre le fond de mon armoire, incapable de me retourner. J'ai poussé avec mes pieds pour ouvrir les portes mais elles résistaient. Il faisait sombre et chaud là-dedans et j'ai commencé à avoir peur. Que se passait-il ? Pourquoi les portes s'étaient-elles refermées si brutalement et pourquoi, à présent, étaient-elles bloquées ? J'ai cru entendre une porte ou une fenêtre claquer, puis un rire.

Pourquoi les portes étaient-elles bloquées ?

« Basile ! ai-je pensé. Une farce aussi idiote ne peut germer que dans son esprit ! »

Je l'ai appelé plusieurs fois, de plus en plus fort. J'ai tendu l'oreille, mais aucun bruit ne me parvenait plus de l'étage.

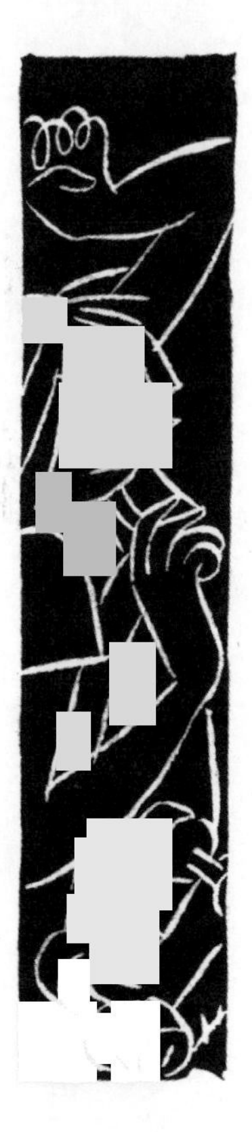

Le problème avec Basile, c'est qu'il ne sait jamais s'arrêter. J'étais furieuse. Je manquais d'air et j'avais beau pousser les portes de toutes mes forces, elles ne cédaient pas. Mes genoux coincés contre les roues de mes rollers me faisaient souffrir, je sentais la crampe monter dans les mollets. De grosses larmes se sont mises à rouler sur mes joues et j'allais hurler de panique lorsque j'ai entendu ma fenêtre claquer violemment. Un souffle glacial s'est infiltré dans l'armoire, qui s'est ouverte d'un coup, libérant brusquement mes jambes.

Stupéfaite, le cœur battant, je suis restée un moment allongée avant de me dégager complètement de l'armoire. J'ai levé les yeux vers la fenêtre : les rideaux battaient dans les airs comme si le vent s'y engouffrait. Pourtant, elle était fermée ! En m'approchant, il m'a semblé voir une forme verdâtre disparaître dans la haie du jardin. J'ai jeté un œil dans ma chambre. Tout semblait si normal à présent ! Dans le jardin, il n'y avait plus personne non plus. Seul un vol d'oiseaux troublait le calme matinal.

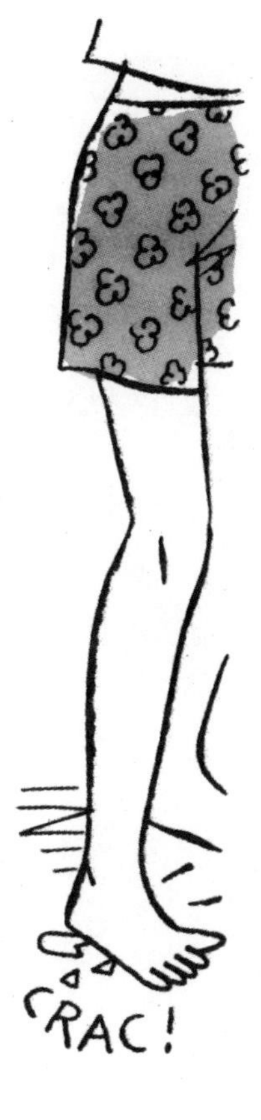

Pourtant, je me sentais mal à l'aise. Si Basile m'avait fait une farce, comme je l'avais d'abord cru, il m'aurait attendue à la sortie de l'armoire pour voir ma tête. S'offrir la mine déconfite et furieuse de sa victime représentait toujours pour lui la récompense suprême. Mais les voix de mes parents et de Basile montaient, sereines, de la cuisine : leur conversation me semblait si familière, si quotidienne, que j'ai pensé un instant avoir rêvé.

J'allais descendre à la cuisine lorsque crac ! j'ai marché sur un objet en verre.

À première vue, il m'a semblé qu'il s'agissait d'un petit sablier tombé d'une boîte de jeu. Mais un liquide mauve se répandait sur la moquette. « On dirait une pipette, ai-je pensé, surprise, en remarquant les chiffres sur les débris de verre. Une pipette comme celles qu'on utilise en cours de chimie. »

En enlevant les petits morceaux collés sous mes pieds, je me demandais comment elle avait pu venir s'écraser dans ma chambre. J'avais vu les mêmes dans le laboratoire du collège : je me souvenais bien en avoir utilisé, mais j'étais certaine de ne pas en avoir rapporté à la maison.

J'ai repensé avec plaisir à la dernière séance. Notre professeur de chimie avait voulu nous familiariser avec les instruments et nous avait laissés manipuler différents produits. Certains mélanges nous avaient fait beaucoup rire ! Marine avait réinventé l'eau gazeuse, Léo avait troué sa chaussure en laissant tomber dessus une goutte de sa mixture, Lucie avait gardé les doigts bleus pendant deux jours et Louise avait vu ses ongles pousser en un clin d'œil ! Trois jours après, elle devait toujours les couper ! Je me demandais si le phénomène avait cessé pendant le week-end.

– Héloïse ! Que fais-tu ? Ton petit déjeuner est prêt depuis dix minutes !

Zut, j'allais être en retard ! J'ai enfilé mes chaussures, à peine remarqué les taches brunes qui naissaient sur mes mains, attrapé mon cartable et me suis précipitée dans l'escalier.

Le matin,
il avait l'air
d'avoir un nid
posé sur la tête !

PAUVRE LOUISE ! 2

LORSQUE je suis arrivée au collège, je me suis dirigée immédiatement vers mes amis. Dans la cour, on les repérait facilement à cause de ce moineau qui planait constamment au-dessus de la tête de Lucas. Il avait des cheveux jaune paille, un peu drus, qu'il ne brossait jamais : le matin, il avait l'air d'avoir un nid posé sur la tête ! Un jour, un oisillon s'y était blotti et ne l'avait plus quitté. Au début, c'était drôle, mais c'est rapidement devenu très encombrant pour Lucas, surtout quand l'oiseau a décidé de l'accompagner en classe ! Incapable de rester caché sous une table, il virevoltait, chantait et se posait régulièrement sur sa tête. Déjà condamné depuis plusieurs jours

Les élèves entrent en classe, les oiseaux restent dehors.

à l'exclusion par nos professeurs, insensibles à la poésie de la situation, le moineau signa son arrêt de mort le jour où il tacha honteusement le chemisier de notre professeur de mathématiques. Seule, notre intervention permit à l'oiseau d'avoir la vie sauve. Son instinct de survie l'aida ensuite à assimiler définitivement la discipline du collège : quand les élèves entrent en classe, les oiseaux restent dehors. Depuis, le moineau attendait son nid dans la cour et il faisait désormais vraiment partie du décor puisque nos professeurs eux-mêmes avaient fini par s'y attacher ! En prévision de l'hiver, M. Domino, notre professeur de technologie, nous avait même aidés à lui construire un abri, une minuscule maison en bois que le principal nous avait permis d'installer dans un coin reculé de la cour.

Lorsque je me suis approchée du cercle

de mes amis, j'ai tout de suite été frappée par l'atmosphère sinistre. Que se passait-il ? Lucas, Louise et Léo arboraient tous un air terrible !

– Mais vous en faites une tête !

– Chut ! a chuchoté Lucas. Il se passe des choses bizarres.

– Chut ! Il se passe des choses bizarres.

– Bizarres ? ai-je demandé en regardant le moineau fouiller avec son bec dans ses cheveux.

– Regarde Louise, m'a-t-il soufflé.

J'ai tourné la tête vers elle.

– Qu'est-ce que tu as, tu es malade ? Mais pourquoi es-tu si couverte ? Des moufles, un bonnet, une écharpe par un temps pareil !

Louise a vérifié que personne ne regardait dans notre direction. Sans un mot, elle a baissé son écharpe et enlevé l'une de ses moufles.

J'en eus le souffle coupé. Non seulement ses ongles n'avaient pas cessé de pousser, mais ses mains s'étaient ridées et nouées comme celles d'une vieille femme. Une verrue avait poussé sur son menton avec de vilains poils noirs. Je n'osais même pas imaginer ce que cachait encore le bonnet !

– Ce n'est pas tout, a ajouté Lucas, assez fier de ses scoops. J'ai vu Lucie ce week-end. Elle était couverte de boutons bleus.

– Bleus ?

– Bleus, a-t-il répété, l'air sinistre. Et ce matin, j'ai rencontré le père de Marine. Il m'a raconté qu'elle avait un hoquet terrible depuis deux jours. Aujourd'hui, épuisée, elle est restée au lit et ne pourra pas venir à l'école.

Un silence pesant s'est abattu sur notre petit groupe. Nous étions consternés.

La cloche a sonné le début des cours. La

matinée a duré une éternité. Je n'arrivais pas à détacher mon attention de Louise. Je l'ai surprise plusieurs fois à se couper discrètement les ongles. Elle avait les yeux brillants de larmes. Je pensais aussi à Lucie et Marine. Je n'avais jamais entendu parler de maladies qui donnaient des boutons bleus ou provoquaient d'interminables hoquets. Non, décidément, quelque chose ne tournait pas rond dans cette classe.

Après la cantine, nous nous sommes regroupés dans un recoin de la cour pour pouvoir discuter sans être dérangés. Comment aider Louise ? Nous avions beau la bombarder de questions, nous n'arrivions pas à comprendre le phénomène.

L'épisode du matin m'est soudain revenu à l'esprit : cette armoire qui se ferme et s'ouvre toute seule, cette pipette brisée sur ma moquette, ce liquide bizarre qui s'en écoulait. Tout cela restait aussi très mystérieux. J'allais leur raconter ma mésaventure lorsque Léo m'a devancée.

– Qu'est-ce que tu as sur les mains, Héloïse ? m'a-t-il demandé.

– Sur les m... ?

Stupéfaite, je regardai mes mains. Elles étaient tachées de brun et, surtout, la texture de la peau semblait étrange, plus épaisse, plus marquée aussi.

– Je... je ne sais pas, je ne comprends pas.

J'ai levé les yeux et ce que j'ai lu sur le visage de mes amis ne m'a pas rassurée : ils avaient tous l'air dégoûté et semblaient dévorés d'angoisse.

La cloche a sonné et nous avons rejoint notre classe dans la salle de sport. Ce cours de gymnastique tombait bien, il allait nous détendre.

Une heure plus tard, je me sentais beaucoup mieux. J'avais été sacrée championne de la séance après avoir pulvérisé les records de saut en hauteur et en longueur ! Pour moi, c'était vraiment l'exploit de l'année. Je ne m'étais jamais sentie aussi légère et pleine de ressort. J'allais enfin pouvoir clouer le bec à Basile qui se moquait sans cesse de mes médiocres performances sportives.

L'après-midi s'est achevé rapidement et, toute à ma joie, j'oubliai mes taches, les ongles de Louise, le hoquet de Marine et les boutons bleus de Lucie. Le soir, à table, lorsque papa m'a fait remarquer l'état de mes mains, je lui ai dit que je devais faire une allergie.

– Chérie,
où es-tu ?

HÉLOÏSE A DISPARU ! 3

Le lendemain matin, lorsque j'ai entendu maman monter, je me suis enfouie sous la couette pour retarder l'heure du lever.

– Héloïse, c'est l'heure !

Elle a tiré les rideaux et s'est dirigée vers la salle de bains.

– Chérie, où es-tu ?

Je commençais à étouffer au fond de mon lit ! Pourquoi ne venait-elle pas ? Je l'ai entendue sortir et demander à Basile s'il m'avait vue. Elle est revenue dans ma chambre et a soulevé ma couette. Yeux clos, j'attendais qu'elle m'embrasse. Au lieu d'un bisou, j'ai senti tout le poids de la couette me retomber lourdement sur la tête et j'ai entendu maman se précipiter dans les escaliers en criant ! Qu'est-ce qui lui prenait ?

Une mouche est passée, je l'ai avalée.

Inquiète, j'ai sauté du lit pour la rattraper. Mais une fois au pied de mon lit, ma chambre m'a paru soudain immense, comme si j'étais au ras du sol. Sans comprendre, j'ai regardé autour de moi. Une mouche est passée, je l'ai attrapée et avalée avec délices. Mon sang s'est glacé brusquement. J'avais gobé une mouche ! C'est à ce moment seulement que j'ai remarqué mes pieds et mes mains.

Accroupie sur les talons, j'ai observé ces longs doigts verts couverts de taches brunes. Je sentais ma gorge enfler, désenfler, j'avais du mal à respirer. La peur m'étreignait et à la fois je ne sentais plus vraiment mon corps. Terrifiée, je me suis précipitée dans la salle de bains. Impossible d'atteindre le miroir ! Mais que m'arrivait-il ? J'ai sauté sur le bord du lavabo, puis sur une petite étagère. Ce que j'ai vu dépassait tous les cauchemars possibles. Là, entre les brosses à dents et les dentifrices, se reflétait L'IMAGE D'UN CRAPAUD. Ses yeux rouges, globuleux, ne pouvaient exprimer toute la terreur qui m'avait envahie : moi, Héloïse, dix ans, j'étais devenue un crapaud !

Moi, Héloïse, j'étais devenue un crapaud !

Sous l'effet de la surprise et de la peur, j'ai perdu l'équilibre. Ma tête a heurté violemment le sol et je me suis évanouie.

– Héloïse, où es-tu ?

Les cris de papa et maman dans la maison m'ont ramenée à la réalité. Je devais aller leur demander de l'aide.

Ils me cherchaient partout, fouillant même dans les placards !

– Je ne comprends pas cette farce idiote. Se cacher et mettre un crapaud dans son lit ! Mais où a-t-elle pu trouver cette horrible bête, se plaignait maman.

« Papa, maman ! » ai-je voulu hurler en arrivant vers eux.

– COAA, COAA !

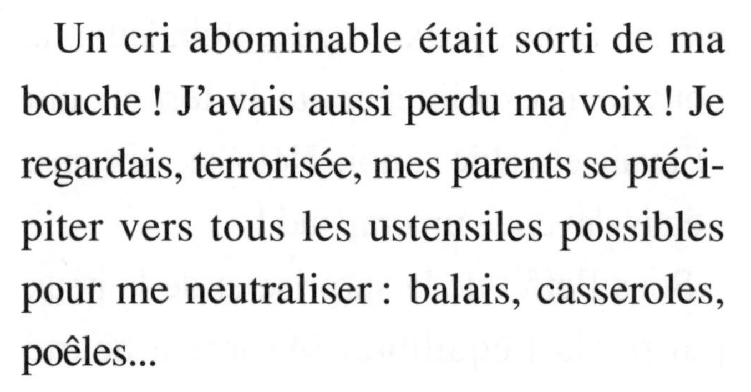

Un cri abominable était sorti de ma bouche ! J'avais aussi perdu ma voix ! Je regardais, terrorisée, mes parents se précipiter vers tous les ustensiles possibles pour me neutraliser : balais, casseroles, poêles...

– Mais qu'est-ce qui vous arrive ? a demandé Basile, qui les avait entendus crier du couloir où il vérifiait le contenu de son cartable.

J'ai profité de cette diversion pour me jeter sur maman et tenter de me faire reconnaître. Mais la scène a viré au cau-

Mes parents se précipitaient vers tous les ustensiles possibles...

chemar. Elle hurlait, secouait sa jambe de toutes ses forces pour me forcer à lâcher son pantalon. Papa nous courait après avec ses poêles et moi, les yeux brûlants de larmes, je ne pouvais émettre que de ridicules coassements.

– COAA, COAA !

– Arrêtez ! a hurlé Basile, jusqu'ici trop stupéfait pour intervenir dans cette scène infernale. Donnez-moi le crapaud ! a-t-il ajouté tandis que maman tentait, dans un dernier effort, de se débarrasser de moi.

Épuisée, découragée, j'ai lâché prise et suis allée m'assommer contre la porte d'un placard.

Lorsque j'ai rouvert les yeux, j'étais enveloppée de plastique. Ils m'avaient jetée dans un sac-poubelle ! J'en ai pleuré de rage et de désespoir.

J'entendais Basile négocier la possibilité de garder le crapaud pour le montrer à sa maîtresse.

– Basile, ce n'est pas une petite grenouille ! C'est une bête énorme, répugnante ! Non, il est hors de question que tu le gardes.

Papa est sorti pour déposer le sac sur le trottoir. Il a refait le tour du jardin, de la maison, puis est rentré téléphoner à la police pour signaler ma disparition.

Ballottée dans son dos, j'avais un mal de cœur épouvantable.

DRÔLE DE CRAPAUD ! 4

À TRAVERS le sac, les bruits de l'extérieur me parvenaient très étouffés. Basile l'avait récupéré en cachette, enfoui dans son cartable et s'était sauvé vers l'école en courant. Ballottée dans son dos, j'avais un mal de cœur épouvantable et j'étouffais, coincée entre ses livres, ses cahiers et ses billes.

Il arriva enfin. J'entendis les cris des enfants dans la cour.

Il se précipita aussitôt vers ses copains pour leur montrer sa dernière trouvaille.

– Venez, j'ai une histoire incroyable à vous raconter, leur dit-il en les entraînant vers le coin le plus discret de la cour. Ma sœur a réussi un coup extraordinaire ce matin ! Quand je pense que je m'invente les pires maladies pour ne pas aller à l'école ! Avec ses airs de première de la classe, elle a eu tout le monde ! Ce matin, quand maman est allée la réveiller, elle n'a trouvé personne dans son lit, ni dans sa chambre. À sa place, sous la couette, un crapaud ! Maman a frisé la crise cardiaque.

– Maman a frisé la crise cardiaque.

– Mais comment est-il arrivé là ? Et où était ta sœur ?

– Mais je ne sais pas ! Elle a dû se cacher pour échapper à une interro et...

– Mais ta sœur ne ferait jamais ça ! le coupa Louis, en éclatant de rire.

Louis, c'est le meilleur ami de mon frère depuis la maternelle. Il vient souvent jouer à la maison et il me connaît bien. Il sait que je suis incapable de monter un coup pareil : ce n'est pas du tout mon genre.

– Basile, ajouta-t-il en souriant, j'adore ta sœur, mais il faut quand même reconnaître qu'elle n'a aucun sens de l'humour, surtout avec l'école.

Moi ? Aucun sens de l'humour ! Et tous les amis de Basile semblaient de cet avis : chacun se mit à raconter sa petite anecdote qui me faisait vraiment passer pour l'ennuyeuse publique n° 1. J'étais furieuse : alors, quand on ne rit pas à leurs blagues stupides, on n'a aucun sens de l'humour ! Je voulus me précipiter vers eux mais, enfermée dans ce sac, mes mouvements se trouvaient très limités.

– Ton... ton cartable ! Il bouge tout seul !

– Basile ! cria Louis. Ton... ton cartable ! Il bouge tout seul !

Un instant abasourdi, Basile réagit enfin.

– C'est le crapaud !

– LE CRAPAUD !!!

– Oui, je ne sais pas ce qui lui a pris, mais il a sauté sur ma mère. Mes parents ont eu tellement peur que lorsqu'ils ont pu l'attraper, ils l'ont jeté aux ordures, mais je l'ai récupéré, expliqua Basile en tirant le sac-poubelle de son cartable.

Il dénoua le fil qui le maintenait fermé et invita ses amis à s'approcher.

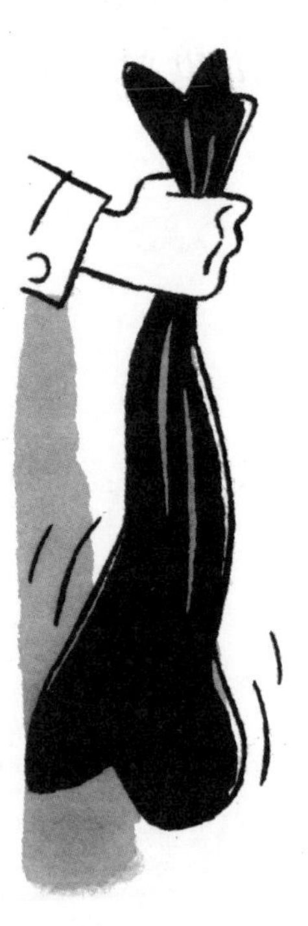

Cinq regards amusés se penchèrent sur moi. Du fond du sac, je vis leurs têtes énormes m'observer.

– Laissez-le respirer, demanda Basile en les repoussant. Regardez-le chacun votre tour.

Le sac circula dans le petit cercle.

– Il est bizarre, ce crapaud, remarqua Théo lorsqu'il m'eut sous les yeux.

Théo, c'est le scientifique de la bande. Il veut devenir naturaliste. Tous les dimanches, il va en forêt avec son grand-père

Cinq regards amusés se penchèrent sur moi.

qui lui a transmis cette passion. Il rapporte des insectes, des petits animaux qu'il essaye ensuite d'élever.

– Tu veux dire que c'est bizarre qu'il se soit retrouvé chez Basile, corrigea Louis.

– Non, enfin, oui. Mais le crapaud lui-même est bizarre. Regardez ses mains.

De nouveau, les têtes énormes apparurent.

– Elles ont cinq doigts ! Je crois que les crapauds n'en ont que quatre, normalement.

– En tout cas, c'est une fille, déclara Camille qui venait d'arriver.

– Une fille ! ironisèrent les garçons. Un crapaud fille ! Et tu vois ça aux mains, toi ?

– Eh bien, oui justement, répondit sèchement Camille, vexée. Tu as déjà vu un crapaud mâle avec une bague ?

– Une bague ?

Le petit groupe éclata de rire, puis se pencha au-dessus du sac. Leurs rires s'arrêtèrent net. Interdits, les garçons se tournèrent vers Camille, triomphante.

– Et elle n'est pas mariée. Elle porte l'anneau à la main droite !

La cloche sonna. Basile referma le sac et l'enfouit dans son cartable. J'avais enfin un espoir. Ils étaient intrigués. Ils allaient forcément se poser des questions. Je savais qu'ils ne m'abandonneraient pas avant d'avoir éclairci ces mystères.

Mais comment leur faire comprendre que J'ÉTAIS CE CRAPAUD et, surtout, comment pourraient-ils me rendre mon apparence normale ?

De nouveau, le désespoir m'envahit et la situation me parut comme le fond du sac : sombre et sans issue.

Il l'entrouvrit délicatement et j'aperçus son regard.

LA BAGUE D'HÉLOÏSE 5

BASILE devait avoir peur que je ne m'échappe. Il avait coincé son cartable entre ses jambes, sous sa table. J'étouffais, mais son immobilité me rassurait. Je savais que le cours à lui seul ne pouvait déclencher, chez lui, une telle concentration ! Il devait réfléchir aux observations de Camille et de Théo. Allait-il comprendre... l'incompréhensible ?

Basile finit par sortir discrètement le sac pour le mettre dans sa case. Il l'entrouvrit délicatement et j'aperçus son regard. Il fallait trouver un moyen de le mettre sur la piste. La bague ! Avec précaution, je tendis le membre qui la portait.

« Basile, ai-je pensé, je t'en supplie, reconnais-la ! »

Amusé, il se rapprocha. Je lus la surprise dans ses yeux.

– La bague d'Héloïse ! murmura-t-il.

– Qu'est-ce que c'était que ce bruit ?

Puis il ouvrit grand la bouche et la stupeur le figea dans cette position.

Il avait reconnu la bague ! J'étais tellement contente que je poussai un cri de joie !

– COAAA ! COAAA !

Mon horrible coassement tira brutalement Basile de sa rêverie. Il referma précipitamment le sac et revint à la réalité juste à temps pour entendre la maîtresse lui demander, excédée, ce qu'il fabriquait le nez dans sa case.

– Qu'est-ce que c'était que ce bruit ? répéta-t-elle en avançant vers lui d'un air menaçant.

La panique le cloua sur son banc, incapable de prononcer la moindre explication.

– Donne-moi ce jouet ! ordonna la maîtresse.

– Non, non, c'est moi qui ai fait ce bruit ! se dénonça Louis.

Mais son sacrifice fut inutile. Basile devait avoir l'air si coupable, avec ses yeux ronds comme des triples mammouths et sa moue suspecte, que tous les regards de la classe se tournèrent sur lui, ignorant complètement Louis ! Pétrifié, les mains plongées dans sa case, il serra convulsivement son sac.

La maîtresse fondit sur lui, souleva brutalement le battant de la case, projetant trousses, crayons, cahiers au sol. Elle arracha le sac des mains de Basile et le brandit, triomphante !

– Donne-moi ce jouet, ordonna la maîtresse.

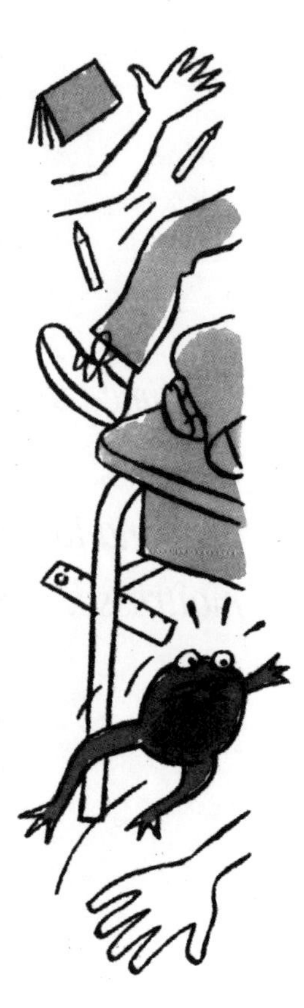

– Non, non, bredouilla Basile en se levant pour tenter de me récupérer.

La maîtresse recula vers son bureau et ouvrit le sac. Voyant sa tête apparaître dans l'ouverture, je lui offris mon plus beau sourire pour l'amadouer. Peine perdue : ça restait une horrible grimace de crapaud ! Son visage se figea, ses lèvres se mirent à trembler avant de lâcher un hurlement terrible ! Elle me laissa tomber avant de s'évanouir dans le plus bruyant des soupirs. J'en profitai pour m'échapper et rejoindre Basile. La classe ressemblait désormais à un champ de bataille. Des cris et des objets fusaient dans tous les coins, des élèves couraient sous les tables pour essayer de m'attraper. D'autres, plus charitables, essayaient vainement de ranimer la maîtresse.

Dans la bousculade, Basile réussit à

récupérer le sac, me plongea dedans et se sauva discrètement dans la cour de récréation avant qu'on se rappelle qui était à l'origine du désordre ! Heureusement, la cloche sonna et la classe se vida rapidement.

Basile se cacha dans un recoin de la cour, le sac serré contre sa poitrine. Je sentais son cœur battre à deux cents à l'heure. Louis réussit à le retrouver.

– Basile ! Quel bazar ! La maîtresse n'est pas prête de te pardonner ça ! Bon, en attendant, viens, Lucas te cherche partout.

– Lucas ? articula péniblement Basile, qui se remettait difficilement de ses émotions.

– Mais oui, un copain de ta sœur. Tu sais, celui qui se promène toujours avec un moineau sur la tête. Dépêche-toi !

Une grille séparait les deux cours d'école. Basile s'approcha de Lucas.

– Ta sœur n'était pas en classe ce matin, elle est malade ? lui demanda-t-il, l'air un peu inquiet.

– Ta sœur n'était pas en classe, elle est malade ?

– Non. Enfin, je ne sais pas, répondit lentement Basile. Elle a disparu.

– Disparu ?!

– Disparue, volatilisée ! Et à sa place, ce matin, on a trouvé un crapaud dans son lit !

– Un crapaud ?!

– Arrête de répéter tout ce que je dis ! lui lança Basile, agacé. Tiens, regarde.

Il lui tendit le sac ouvert. J'aperçus le visage de Lucas, puis le moineau effrayé qui cherchait refuge dans ses cheveux de paille.

– Qu'est-ce qu'il porte au doigt, ton crapaud ?

– La bague d'Héloïse.

– La bague d'Héloïse ?! Mais pourquoi lui as-tu enfilé la bague de ta sœur ?

– Mais je ne la lui ai pas enfilée, répliqua Basile, excédé. Je te dis qu'on a trouvé ce crapaud ce matin dans le lit de ma sœur. Il a cinq doigts aux mains et porte sa bague. Je n'en sais pas plus !

– Ce matin, cinq élèves manquaient.

– Écoute, il se passe vraiment des choses bizarres dans notre classe.

J'imaginais sans peine l'excitation de Lucas. Lui qui, en lecteur passionné, passait son temps plongé dans les aventures des autres, espérait tenir enfin un vrai mystère. Il se rapprocha de Basile et je l'entendis chuchoter.

– Ce matin, cinq élèves manquaient dans la classe. Toutes victimes de phénomènes bizarres. Le plus incroyable, précisa-t-il, c'est ce qui est arrivé à Louise. En partant à l'école, ce matin, mon père et moi l'avons trouvée inanimée dans notre jardin ! On la reconnaissait à peine : vêtue d'une grande cape verte, elle avait l'air d'une pauvre vieille !

– D'une pauvre vieille ?! répéta Basile à son tour.

– Je te jure ! Tu aurais vu sa peau, elle paraissait avoir cent ans ! Lorsqu'on l'a trouvée, elle tenait une drôle de pipette dans la main.

– Une pipette ?

Une pipette ! Je sursautai dans mon sac. Ce détail me rappelait quelque chose. Mais oui ! Hier, quand tout avait commencé à aller de travers, j'avais marché sur une pipette dans ma chambre ! Mon cœur se gonfla d'espoir. Je tenais une piste !

Mais ma joie retomba aussitôt. Je délirais ! Quel rapport pouvait-il exister entre cette pipette, Louise et ma métamorphose ? J'avais beau réfléchir, j'étais incapable de trouver une explication rationnelle. Ma tête s'embrumait, mes idées s'embrouillaient. Je commençais à craindre que la métamorphose atteigne également mon cerveau. Pour le moment, je raisonnais encore comme un être humain, mais pour combien de temps encore ? De toute façon, je n'arriverais jamais à résoudre ces énigmes seule. L'urgence, c'était d'établir le contact avec les garçons. Ensemble, nous pourrions peut-être trouver le lien entre ces phénomènes...

Deux policiers posaient des tas de questions.

6 LE CRAPAUD DÉMASQUÉ

Après l'école, nous sommes rentrés directement à la maison où nous avons trouvé papa et maman rongés d'inquiétude. Deux policiers tenaient ma photo entre leurs mains tout en posant des tas de questions sur notre famille. Lorsqu'ils ont vu Basile, ils lui ont demandé de raconter ce qu'il avait fait la veille, ce que j'avais pu lui dire et si j'avais l'air particulièrement déprimée ou en colère contre quelqu'un ou quelque chose. Bref, était-il possible que j'aie fait une fugue ?

Basile répondit de façon très mécanique qu'à son avis sa sœur n'aurait jamais quitté la maison sans prendre son petit déjeuner et qu'elle n'aimait pas manquer l'école non plus. Il avait hâte de monter dans sa chambre.

– Dis donc, petit, tu n'as pas l'air très inquiet !

– Dis donc, petit, tu n'as pas l'air très inquiet pour ta sœur ! lui lança l'un des policiers, surpris de le voir se diriger vers l'escalier si rapidement.

– Si, si, répondit Basile d'une voix blanche, mais j'ai beaucoup de devoirs.

Les policiers se regardèrent, étonnés, haussèrent les épaules puis prirent congé de mes parents en les assurant de leur efficacité.

Arrivé dans sa chambre, Basile colla son oreille contre la porte pour vérifier que personne ne montait le rejoindre, puis la ferma à clé.

Il sortit le sac de son cartable, l'ouvrit, puis disposa des intercalaires en plastique sur son bureau avant de m'y déposer. Il s'assit en face de moi et commença à me détailler lentement de la tête aux pieds. Je sentais son regard essayer de rentrer en moi. Il commençait à deviner la vérité, mais bien sûr, sa raison refusait encore d'y croire.

Un nouveau cataclysme se préparait.

Soudain, il se figea en entendant la sonnerie du téléphone. Je le vis pâlir et je sus immédiatement qu'un nouveau cataclysme se préparait. Il entrebâilla la porte.

– Je suis tout à fait désolé, monsieur le directeur, disait papa. Oui, nous lui avions pourtant interdit de l'apporter à l'école. Nous sommes vraiment navrés... oui, surtout pour Mme Dunerf. Je comprends, oui. Je vais le punir sévèrement.

Papa raccrocha lentement puis hurla :

– BASILE !!! Descends immédiatement !

Basile referma la porte et me remit pré-

cipitamment dans le sac, qu'il jeta dans son armoire.

– Surtout, ne bouge pas, murmura-t-il. Je reviens tout de suite.

Mais lorsque Basile ouvrit la porte, papa se trouvait déjà dans l'encadrement, immense. La colère le grandissait et il avait l'air d'un géant prêt à s'abattre sur mon frère.

– BASILE ! Tu as désobéi ! Tu as gravement perturbé la classe ! Ta maîtresse a été si choquée qu'elle a dû être hospitalisée. Le directeur est furieux contre toi. Crois-tu que nous avions besoin de ce scandale aujourd'hui ? Nous avons déjà passé la journée à nous faire un sang d'encre au sujet de ta sœur ! Et l'attitude désinvolte que tu as prise devant ces policiers tout à l'heure ! On dirait que tout cela te laisse complètement indifférent !

– Basile ! Tu as désobéi !

– Mais non, au contraire ! Je cherche à résoudre ce mystère ! s'écria Basile.

– En mettant ton école sens dessus dessous ? Mais quelle idée d'y amener cette horrible bête !

– Ce crapaud, c'est Héloïse !

– Mais ce n'est pas un crapaud comme les autres ! Je suis sûr qu'il y a un rapport entre sa présence dans la maison et la disparition d'Héloïse. Maman a trouvé le crapaud dans le lit d'Héloïse, il porte la bague d'Héloïse et il a cinq doigts au lieu de quatre, comme tous les autres crapauds. En plus, dans la classe d'Héloïse, il se passe aussi des choses très bizarres. Sa copine Louise a vieilli de cent ans en près d'une semaine !

Il se tut un instant, hésitant devant l'air atterré de papa, puis se lança.

– En fait, je crois que ce crapaud, c'est Héloïse !

Je crus m'évanouir de bonheur en l'entendant ! Papa, lui, explosa de colère. Libérant les angoisses de sa journée, il gifla bruyamment Basile.

– C'est incroyable ! hurla-t-il. Entendre des choses pareilles ! Dans un moment pareil ! Ne te moque plus jamais de moi comme cela !

– C'est incroyable ! hurla-t-il.

– Mais papa, je te jure...

– Ça suffit !

Et il sortit de la chambre en claquant la porte.

Un moment ébranlé par la colère de papa, d'habitude plutôt calme, Basile se reprit bientôt. Il ferma à nouveau sa porte à clé, me sortit de l'armoire et me reposa sur son bureau pour poursuivre sa séance d'observation.

– Je dois être devenu fou, murmura-t-il en se frottant doucement la joue, mais j'ai un drôle de pressentiment. Si seulement je pouvais communiquer avec toi.

Oui, si seulement... Tout à coup, j'eus une idée. Je sautai par terre et me plantai devant la porte de sa chambre.

– Eh ! Que fais-tu ? Ne sors pas d'ici, dit Basile, inquiet.

Il fallait aller dans ma chambre. C'était le seul moyen de lui prouver que son intuition était la bonne. Je grattai discrètement la porte. Basile finit par l'ouvrir avec précaution et me suivit jusque dans ma chambre. Je bondis sur les étagères de ma bibliothèque et atteignis rapidement le dessus de mon armoire. De toutes mes forces, je poussai et jetai à terre une boîte en carton. Elle s'ouvrit en tombant aux pieds de Basile.

– Mes mitraillettes à boules ! s'écria-t-il, interloqué, tandis que je redescendais.

– Eh ! Que fais-tu ? Ne sors pas d'ici.

Je les cherche depuis six mois ! Hypocrite, c'est donc toi qui me les avais prises !

Furieux, Basile se précipita sur moi... mais la réalité du moment l'arrêta net ! Face à lui, il n'y avait qu'un crapaud !

Furieux, Basile se précipita sur moi...

– Héloïse, murmura-t-il. Héloïse, c'est toi, n'est-ce pas ?

J'étais soulagée. Je me sentais moins seule à présent. Je fermai longuement les yeux pour savourer cet instant de bonheur, puis le regardai de mes gros yeux globuleux, pleins d'espoir.

– Oui ? Tu veux dire oui ? interpréta Basile. Si tu es d'accord, referme les yeux.

Trop heureuse d'avoir trouvé ce moyen de communiquer, j'obéis et refermai les yeux.

– Mais comment est-ce possible ?

Je réfléchis un instant, puis me dirigeai vers la fenêtre. La tache mauve laissée par le liquide contenu dans la pipette n'avait pas disparu. Je la montrai à Basile qui me suivait, abasourdi par cette révélation, puis je sautai dans la poubelle. Par chance, elle n'avait pas été vidée. Après l'avoir renversée, j'attirai l'attention de Basile sur les débris de verre sur lesquels étaient gravés des chiffres.

Je sautai dans la poubelle.

– Qu'est-ce que c'est ? Un thermomètre ? Un biberon de poupée ?

Mais non ! Il continua à énumérer des objets sans intérêt. Comment l'amener à l'idée d'une pipette ? J'étais tellement énervée que, sans m'en rendre compte, je m'étais mise à cligner des yeux, très vite.

– Mais pourquoi tu t'agites comme ça ? Tu veux dire non ? Quoi alors ? Un verre doseur ? Je ne sais plus, moi, aide-moi !

Je sautai alors sur mon cartable, espérant y trouver mon livre de chimie.

– Que cherches-tu dans ton sac ? a-t-il demandé en m'aidant à le fouiller. Une règle ? Non. Une pipette ! a-t-il soudain crié en apercevant la couverture de mon livre de chimie.

Enfin ! Je fermai les yeux longuement.

– Une pipette ? Oui ? On n'est pas très avancés ! Récapitulons. À ma gauche, une sœur transformée en crapaud ; à ma droite, une pipette brisée et un liquide mauve qui a coulé sur la moquette. As-tu bu ou touché ce qu'il y avait dans la pipette ?

Je clignai des yeux. Il brûlait.

– Incroyable ! a-t-il sifflé entre ses dents. Mais d'où vient ce produit ? Un produit capable de métamorphoser une fille en crapaud, ça n'existe que dans les contes de fées ! Comme les jeunes filles changées en sorcières ou les princes en... Les jeunes filles changées en sorcières !!!

Mais c'est exactement ce qui est en train d'arriver à Louise !

Nous y étions ! Mon cœur battait à cent à l'heure ! J'avais repris espoir maintenant.

Nous avions bien avancé, mais il nous restait encore à comprendre d'où provenaient ces produits. Avions-nous involontairement blessé quelqu'un qui aurait décidé de se venger cruellement ? Avait-il décidé de nous jeter un sort ? Mais qui peut disposer de pouvoirs aussi magiques ?

– Oh ! ma pauvre, tu es dans un sale état.

LE FESTIN DU CRAPAUD 7

LE JOUR se levait à peine lorsque Basile ouvrit la boîte dans laquelle il m'avait installée la veille au soir. Après y avoir tourné une bonne partie de la nuit, j'avais fini par m'assoupir. Lorsque je l'entendis, j'ouvris péniblement un œil.

– Je te réveille ? me demanda Basile. Tu as fait un de ces vacarmes cette nuit ! Oh ! ma pauvre, tu es dans un sale état : c'est une infection, cette boîte. Attends, ne bouge pas, je vérifie que papa et maman dorment encore et je t'emmène prendre une douche.

Très vite, Basile revint me préciser qu'ils se trouvaient déjà dans la cuisine. Ils n'avaient pas dû fermer l'œil de la nuit.

Peut-être même étaient-ils restés dans le salon, espérant mon retour. Basile m'attrapa sous le ventre, se précipita dans la salle de bains et me déposa dans la baignoire avant d'ouvrir les robinets.

– Tu en fais une tête, tu es malade ?

– Basile, tu es déjà debout ? Tu prends une douche ?

C'était maman. Elle avait frappé trois coups avant d'entrer, mais Basile était trop concentré pour l'avoir entendue. Je vis son visage se décomposer.

– Mais qu'est-ce que tu as ? Tu en fais une tête, tu es malade ? ajouta-t-elle en avançant vers lui.

Basile, champion du baratin tout terrain, chercha dans son répertoire l'explication la mieux adaptée à la situation.

– Je... Je vais prendre un bain, bafouilla-t-il enfin, en essayant de me cacher.

Mauvaise pioche ! S'il espérait que

maman reparte tranquillement, c'était vraiment le dernier prétexte à avancer : depuis un an, la toilette de Basile était en effet devenue un tel sujet de conflit familial qu'il me paraissait impossible que maman le crût un seul instant. Elle se pencha par-dessus son épaule et je vis l'expression de son visage passer de la surprise à la plus grande lassitude.

– Basile, débarrasse-toi de cette bête.

– S'il te plaît, Basile, reprit-elle calmement, débarrasse-toi de cette bête. Je sais bien qu'elle n'est pas méchante mais, franchement, c'est immonde. Et elle t'a déjà causé pas mal d'ennuis, tu ne trouves pas ?

– Mais maman, ce n'est pas...

– ... un crapaud comme les autres. Je sais, ton père m'a raconté, coupa plus sèchement maman. Ne recommence pas avec ces histoires ridicules.

Elle hésita un instant, poussa un grand soupir, puis le prit dans ses bras et déposa un baiser sur son front.

– Tu es inquiet, toi aussi, n'est-ce pas ? On va la retrouver. Aie confiance. Mais par pitié, libère ce crapaud et viens avec nous !

Elle lui passa tendrement la main dans les cheveux puis redescendit à la cuisine rejoindre papa qui préparait les petits déjeuners. Basile se retourna vers moi, les yeux humides.

– Bon, tu as l'air d'aller un peu mieux. Je vais te sortir et t'installer dans une nouvelle boîte.

Dans sa chambre, il vida un carton plein de coquillages et le perça pour me permettre de respirer. Puis il prépara ses affaires de football – c'était mercredi, il devait aller s'entraîner avec Louis –, m'enferma dans la

– On va la
retrouver.
Aie confiance.

boîte et me cacha dans son sac de sport avant de descendre déjeuner.

En avalant son bol de céréales, il annonça à papa et maman, visiblement épuisés par leur nuit sans sommeil, que les horaires de l'entraînement de football avaient changé, qu'il rentrerait dans l'après-midi et qu'ils ne devaient pas s'inquiéter parce que la mère de Louis s'était proposée de les accompagner. Sur ce, il attrapa un paquet de biscuits, son sac de sport et les embrassa avant de se sauver.

Louis habitait à trois cents mètres de la maison. En arrivant, je sentis que sa maman serrait Basile très fort dans ses bras.

– Tu es bien matinal, aujourd'hui, dit-elle. Louis nous a raconté pour ta sœur. Si nous pouvons vous aider dans vos recherches, d'une façon ou d'une autre...

– Merci, répondit poliment Basile. Je

n'ai pas très envie d'aller à l'entraînement aujourd'hui. Est-ce que Louis et moi pourrions rester là ou sortir un peu ?

– Bien sûr, je comprends. Va, il est encore dans sa chambre.

Basile monta les escaliers quatre à quatre. À peine arrivé, il déposa sur le bureau de Louis la boîte dans laquelle je commençais à étouffer.

– Tiens, tu as gardé ton crapaud ? demanda Louis, amusé, en me découvrant dans la boîte. Il semble mal en point, aujourd'hui. Qu'est-ce qui lui arrive ? Il a l'air de dépérir.

– Dépérir ? Tu plaisantes ! Il a fait la fête toute la nuit, alors maintenant, il est fatigué, c'est tout. En plus, ce matin, je l'ai baigné : il avait l'air plutôt content.

Pendant qu'il racontait l'épisode avec maman, Louis continuait à m'observer.

– Tu devrais le libérer. Tu ne vas quand même pas le promener dans des boîtes à chaussures pendant des semaines, il va mourir ! Et qu'est-ce que tu lui donnes à manger ?

– Qu'est-ce que tu lui donnes à manger ?

– À manger ? répéta Basile, réalisant soudain que cette question ne l'avait même pas effleuré. Attends, j'ai pris des gâteaux.

Louis éclata de rire.

– Des biscuits ! Quelle idée ! Tu n'aurais pas plutôt des mouches ou des petites bêtes du même genre ?

– Des mouches ? Mais enfin, ce crapaud, c'est ma sœur ! Je ne vais quand même pas lui donner des insectes à manger.

Louis le regarda avec des sentiments très mêlés : surprise, inquiétude, pitié. Il semblait ne pas pouvoir choisir.

– Tu es mon meilleur ami, implora

Basile. Fais-moi confiance, j'ai besoin de toi pour lui rendre son apparence.

Ils s'assirent sur le bord du lit et Basile raconta tout : les événements étranges survenus dans ma classe, la bague et ses soupçons rapidement confirmés, le mystère de la pipette brisée, l'incrédulité de ses parents, l'obligation de mener seul cette enquête.

– Comment allons-nous nous y prendre ?

– Ton histoire est complètement folle. Folle, mais drôle, conclut Louis en riant. C'est d'accord, je vais t'aider ! Comment allons-nous nous y prendre ?

Leur conversation me parvenait de plus en plus brouillée, je ne me sentais pas très bien. J'avais envie de sortir de cette chambre, mes pattes me démangeaient : par la fenêtre ouverte, j'apercevais le jardin de Louis. Mon instinct m'y poussait : la faim me déchirait l'estomac, il fallait que je chasse. D'un bond, je me retrouvai sur le bord de la fenêtre. Malheureusement, Basile me rattrapa juste avant que je ne saute et m'enferma dans la boîte.

– Basile, proposa Louis, il faut peut-être nourrir le crapaud avant de commencer l'enquête. Allons voir Théo, je suis sûr qu'il saura comment s'en occuper.

Théo n'habitait qu'à deux cents mètres de chez Louis. Basile lui résuma rapidement la situation en exposant les conclusions auxquelles il était parvenu depuis la veille. Il eut beaucoup de mal à convaincre l'esprit rationnel et scientifique de Théo que ce crapaud était sa sœur ! Heureusement, l'anomalie de mes membres supérieurs qu'il avait lui-même relevée – j'avais cinq doigts au lieu de quatre – permit finalement d'apaiser ses doutes et il accepta de nous aider.

Basile lui résuma la situation.

Comme l'avait prévu Louis, Théo avait déjà une collection impressionnante de livres consacrés à la nature et aux animaux.

– Je n'ai pas grand-chose sur les crapauds, reconnut-il pourtant. Voyons dans cette encyclopédie, ajouta-t-il en cherchant fébrilement un chapitre consacré aux amphibiens. Ah, voilà : CRAPAUD COMMUN *(Bufo Bufo).*

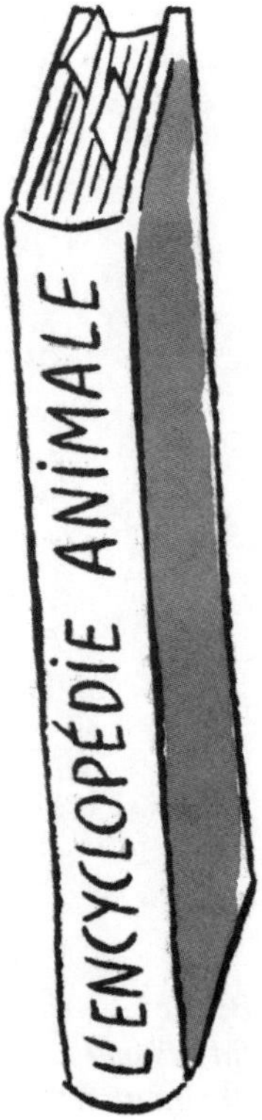

Il parcourut rapidement les premiers paragraphes et leva les yeux vers moi.

– Oh, oh ! J'espère que ce n'est pas une femelle !

– Pourquoi ? crièrent Basile et Louis en se précipitant sur l'encyclopédie.

– *Les femelles peuvent pondre jusqu'à 10000 œufs,* lut Théo. *Ils sont agglutinés en longs cordons gélatineux d'où sortent des larves noirâtres qui, en deux à trois mois, se métamorphosent en petits crapauds d'un centimètre.*

Ils levèrent les yeux du livre et leur regard se brouilla.

Dix mille têtards et bébés crapauds avaient brutalement envahi la chambre de Théo. Bondissant, sautillant, coassant, ils enveloppaient en nuées sombres et grouillantes les trois garçons paralysés par la peur.

– C'est... c'est peut-être un mâle, bredouilla Louis, chassant ainsi, le premier, la vision de cauchemar.

– Je ne pense pas, elle est énorme, répondit Théo qui avait aussi repris ses esprits. Apparemment, les femelles sont plus grandes que les mâles : elles peuvent atteindre quinze centimètres. Mais on va vérifier, prends la règle sur mon bureau.

Louis saisit la règle, s'approcha de

moi, puis la tendit à Basile avec un air gêné.

– C'est une femelle, n'est-ce pas ?

– Tiens, fais-le. Je suis désolé, mais même en imaginant que c'est ta sœur, je ne peux pas y toucher. Toutes ces pustules, là, montra-t-il du doigt, ça me dégoûte...

Basile prit le double décimètre et m'extirpa de la boîte.

– Tu n'as pas besoin de toucher les pustules, expliqua-t-il. Regarde, tu peux l'attraper par le ventre qui est plus lisse et tu glisses tes doigts entre les pattes pour l'empêcher de tomber.

De sa main libre, il posa la règle sur mon dos.

– Zut, quatorze centimètres. C'est une femelle, n'est-ce pas ?

Je ne comprenais pas pourquoi ils avaient eu le moindre doute, ni pourquoi cette nouvelle les mettait dans un état pareil. Moi, j'étais plutôt soulagée de constater que, malgré ma transformation, j'étais restée une fille. Mais je n'avais aucune envie de me retrouver à la tête d'une si nombreuse tribu... Heureusement, Théo nous rassura : les crapauds, précisa-t-il, ne pondent qu'au printemps. Comme nous étions au mois d'octobre, ce problème ne se poserait pas puisque nous devrions avoir résolu le mystère de ma métamorphose avant. C'était une question de vie ou de mort.

Les crapauds ne pondent qu'au printemps.

– En attendant, dis-nous comment la nourrir et la soigner, reprit Basile.

Théo se replongea dans son livre.

– *Le crapaud vit plutôt la nuit. Il aime la pluie, mais il n'a pas vraiment besoin de vivre au bord de l'eau.* Si je comprends bien, il ne recherche un milieu aquatique qu'au moment de la ponte des œufs.

Ensuite, voyons sa nourriture... Il mange donc, résuma encore Théo, des coléoptères, des gastéropodes...

– Des quoi ? coupèrent Basile et Louis.

– Des coléoptères. Ce sont des insectes comme les scarabées, les hannetons, des petites bêtes qui craquent sous la dent... Un vrai délice, expliqua Théo, fier de sa science et amusé devant leur mine dégoûtée. Les gastéropodes, en revanche, ce sont des viandes bien plus moelleuses, comme les escargots, les limaces...

J'en eus l'eau à la bouche. J'imaginais des montagnes de hannetons farcis à la limace.

– Les crapauds ne mangent vraiment rien d'autre ? demandèrent Basile et Louis.

– Si, si, bien sûr, répondit Théo. Ce sont simplement leurs mets préférés, mais s'ils n'en trouvent pas, ils peuvent se contenter

– Les crapauds
ne mangent
vraiment rien
d'autre ?

de lézards, de petites souris, de petits serpents... Ah ! le livre précise aussi qu'ils mangent beaucoup et qu'ils préfèrent leurs proies vivantes.

Je les sentis soudain très découragés. La lecture de ce menu avait au contraire aiguisé mon appétit ! Je n'y tenais plus.

Je sautai à terre et me précipitai vers la porte. C'est alors que je sentis leur présence. Sur la droite, un rideau cachait l'entrée d'une autre pièce. Un léger courant d'air le souleva, découvrant un véritable paradis. Théo avait entreposé là des dizaines de boîtes, d'aquariums, de terrariums : des sauterelles, des lézards, des tortues, des cigales, des escargots... grouillaient à quelques pas de moi. L'instinct de conservation domina rapidement mes scrupules. En trois bonds, j'étais au milieu de mon festin. Quel carnage ! Avant même que les garçons aient pu réagir, je dévorai les trois quarts des petits animaux élevés par Théo. Lorsque Basile réussit à me rattraper, il me jeta, furieux, dans la boîte.

À travers les trous, je regardai Théo, aidé de Louis, éponger le sol, courir après les heureux rescapés et tenter de sauver ce qui pouvait encore l'être. J'entendais Théo renifler bruyamment. Il me faisait beaucoup de peine, mais je m'étais trop régalée pour avoir davantage de remords.

Entre l'estomac de l'animal et le cœur de la fillette, la lutte devenait inégale.

Ils refusaient de croire que j'avais pu me métamorphoser en monstre.

BASILE MÈNE L'ENQUÊTE 8

APRÈS l'épisode du festin, Basile eut toutes les peines du monde à convaincre Théo et Louis qu'il ne leur faisait pas une blague depuis le début de la matinée. Furieux et inquiets, ils se refusaient à croire que j'avais pu me métamorphoser en un monstre aussi vorace. Il dut les supplier de l'aider dans son enquête.

– Lucas m'a parlé d'autres cas étranges, ajouta-t-il. Allons leur rendre visite ensemble, vous verrez ainsi que je n'invente rien.

Théo et Louis se consultèrent, encore sceptiques.

– D'accord, soupira Louis. Mais si tu

te moques de nous, je te jure que je te fais avaler ton crapaud jusqu'à sa dernière pustule.

Basile me jeta un regard plein de rancœur.

Basile, blessé, me jeta un regard encore plein de rancœur.

– Bien, nous n'avons plus de temps à perdre, annonça-t-il. Je vous propose deux choses. Nous allons d'abord demander des nouvelles des trois filles dont m'a parlé Lucas : Marine, qui a le hoquet ; Lucie, qui est couverte de boutons bleus ; Louise, qui se transforme en sorcière.

Louis et Théo levèrent les yeux au ciel, mais Basile les ignora et poursuivit.

– Ensuite, lorsque vous serez convaincus qu'il existe bel et bien un mystère, nous irons trouver Lucas à la sortie du collège. Nous aurons besoin de lui pour enquêter au sein de la classe.

Sans grand enthousiasme, Théo et Louis suivirent Basile.

Théo et Louis suivirent Basile.

Encore furieux contre moi, Basile m'avait enfouie dans son sac. Consignée au fond de ma boîte, ballottée entre ses chaussures à crampons, j'avais du mal à suivre leur itinéraire et leur conversation. Mais, apparemment, Basile se débrouillait très bien : j'ignorais qu'il s'intéressait à ma vie au point de connaître l'adresse de mes amies !

Ils passèrent d'abord chez Marine et Louise qui, selon leurs mères, avaient été hospitalisées. Ils ne purent donc rencontrer que Lucie. Mais, du fond du sac, leur conversation me parvint trop étouffée pour être audible. Je ne pus en apprendre davantage sur les résultats de leurs investigations. Ce n'est que lorsqu'ils s'assirent sur un banc pour faire le point sur ces trois

visites que je finis par en apprendre davantage sur les résultats de leurs investigations. Basile ouvrit son sac pour me laisser respirer, et j'assistai ainsi à leur conversation.

– Alors, qu'en pensez-vous ? l'entendis-je demander avec une pointe de satisfaction dans la voix.

Un ange passa. Puis les langues se délièrent. Théo et Louis évoquèrent Lucie couverte d'incroyables boutons bleus : ils n'arrivaient pas à chasser de leur esprit l'image inquiétante de cette Schtroumpfette géante. Elle était mal en point, mais elle, au moins, pouvait encore rester chez elle. Ils commentèrent alors largement les malaises de Marine et de Louise : dans quel état devaient-elles se trouver si on avait dû les hospitaliser ?

– Il doit quand même exister une explication logique à tout cela, déclara Théo, que l'irrationnel mettait toujours mal à l'aise.

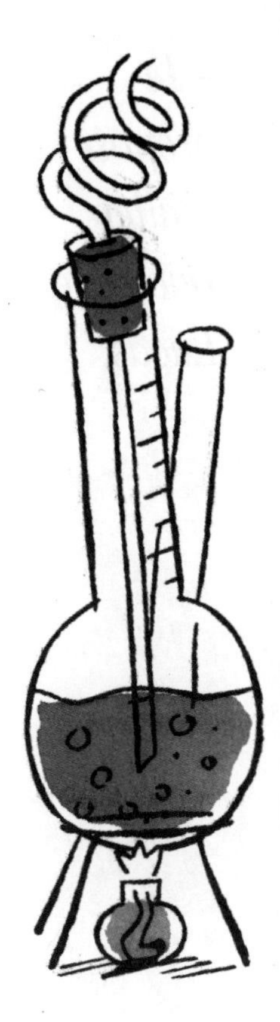

– C'est curieux, enchaîna Basile, mais Lucie, comme les parents de Marine et de Louise, a évoqué le cours de chimie de la semaine dernière. Rappelez-vous : les doigts bleus de Lucie, les ongles de Louise, le hoquet de Marine, tous ces phénomènes auraient, selon eux, commencé après la manipulation de produits chimiques. Je vous avais parlé aussi de cette pipette trouvée dans la chambre de ma sœur la veille de sa métamorphose.

– Génial ! s'écria Louis qui commençait à apprécier la tournure des événements. Tu veux dire que leur prof de chimie les a empoisonnées ? C'est peut-être un sorcier, ou un gnome maléfique, ou encore un...

– Bon, ça suffit ! coupa brutalement Théo. Vous délirez complètement tous les

– Je propose d'aller rejoindre Lucas.

deux. Ça devient franchement pénible, votre histoire. Et totalement idiot.

– Si le grand scientifique a une meilleure idée, une explication bien rationnelle, il peut toujours nous la donner, railla Basile.

Théo haussa les épaules. Pour lui, tout phénomène a une cause, un effet et un remède.

– Très bien, reprit-il, ironique. Fions-nous plutôt au flair imparable de Sherlock Holmes et de son inséparable Watson. Où allons-nous maintenant ?

– Il est presque midi, nota Basile, ignorant le ton sarcastique de Théo. Je propose d'aller rejoindre Lucas.

Et me voilà de nouveau ballottée dans ce maudit sac de sport. Les garçons ne savent pas marcher normalement : ils doivent courir, sauter. C'est épuisant. Heureusement, dans sa précipitation,

Basile avait juste posé ma boîte sur ses affaires sans refermer son sac. Je respirais mieux et les sons me parvenaient beaucoup plus clairement.

Il lui fit signe d'approcher.

En approchant des grilles du collège, Basile aperçut un moineau tournoyer au-dessus d'un groupe d'élèves : Lucas ne devait pas être loin. Rapidement, il le repéra et lui fit signe d'approcher.

– Salut, Basile ! As-tu des nouvelles de ta sœur ? Moi, j'ai revu Louise. Son état a tellement empiré qu'on a dû l'hospitaliser. C'est dramatique, elle a vraiment l'air d'une sorcière maintenant.

Lucas avait pris un ton très affecté pour annoncer cette nouvelle, mais il avait du mal à cacher sa joie de se trouver plongé dans une telle aventure.

– Elle a subi toutes sortes d'examens, poursuivit-il. Mais les médecins n'ont rien trouvé. En plus, toutes les nuits, elle se sauve et on la retrouve évanouie, enveloppée dans une cape verte, avec une pipette à la main.

– Une pipette, une cape verte ? Mais, sursauta Basile, tu ne m'avais pas dit que ton père et toi l'aviez trouvée dans votre jardin dans le même état ?

J'exultais, dans ma boîte ! La cape verte, la pipette, rien ne lui échappait ! Mon petit Basile était un vrai détective !

– Si, pourquoi ? demanda Lucas.

– Écoute, murmura Basile, éloignons-nous un peu. J'ai plein de choses à te dire. Tu vas m'aider maintenant. Tu te souviens de ce crapaud que...

Les quatre garçons s'installèrent un peu plus loin, à l'abri des regards, et Basile raconta rapidement à Lucas tout ce qu'il avait découvert depuis la veille.

Les quatre garçons s'installèrent un peu plus loin.

– Léo est aussi l'une des victimes.

– Tu dis que ce crapaud, c'est ta sœur ? Et tu crois que tout est arrivé à cause de ce cours de chimie... et donc à cause de M. Lesort, le prof de chimie ? résuma Lucas.

Il réfléchit un instant, puis partit en courant vers le fond de la cour. À travers la grille, Basile, Louis et Théo le virent revenir avec un autre garçon. C'était Léo.

– Si tu dis vrai, Basile, déclara Lucas, alors je crois que Léo est aussi l'une des victimes de ces mixtures. Il avait troué sa chaussure avec son mélange, pendant ce fameux cours !

– Mais tu as l'air très bien ! dit Basile.

– Pas tout à fait, souffla Léo. Depuis, je fais des trous !

– Des trous ?!

– Oui, je ne peux ni me moucher, ni pleurer, ni transpirer. Je fais des trous dans les mouchoirs, mes vêtements, les draps !... Et quand je fais pipi, conclut-il dans un soupir désespéré, je dois faire très attention.

Pauvre Léo, il me faisait de la peine.

Pauvre Léo, il me faisait de la peine. Il y avait chez lui une gentillesse et un côté vulnérable qui me plaisaient beaucoup. Basile, qui se moquait toujours de son « côté gnan gnan », devait au contraire trouver très drôle que cela lui arrive, à lui.

En revanche, j'aurais parié deux kilos de lézards et de limaces que Théo se sentait de plus en plus mal à l'aise. Rêvait-il ? L'avait-on, à son insu, transféré dans un asile de fous ? Il dut pourtant décider qu'un futur grand scientifique se devait de garder l'esprit curieux et ouvert, puisque c'est lui qui relança la réflexion sur l'enquête.

– Bon, si l'on considère les cas de

Louise, Marine, Lucie et maintenant de Léo, on peut admettre que les phénomènes ont été provoqués par des manipulations de mixtures suspectes. Mais le cas de ta sœur, Basile, reste incompréhensible. Lorsque nous lui avons posé la question, Lucie nous a dit se souvenir parfaitement des réactions étranges provoquées par les mélanges réalisés pendant ce cours de chimie, mais elle a souligné que l'expérience d'Héloïse n'avait pas été suivie d'effets marquants. Quel serait donc le lien entre eux ?

Tous tombèrent d'accord sur un point : l'omniprésence des pipettes était étrange. Mais personne n'osa envisager sérieusement que le professeur de chimie puisse se promener la nuit dans le jardin de ses élèves pour leur jeter des sorts. Lucas, le premier, soupçonna Louise. Il se souvint qu'un matin, son père et lui l'avaient trouvée inanimée dans leur jardin. Elle portait une cape verte et tenait une pipette dans sa main. Cet épisode prenait aujourd'hui tout son sens. Louise se transformait en sorcière après avoir touché ou bu un mélange qu'elle avait malencontreusement fabriqué pendant ce fameux cours de chimie. Pour lui, cela ne faisait plus aucun doute : Louise avait lancé une pipette remplie d'une mixture magique dans la chambre d'Héloïse. Elle était responsable de sa métamorphose en crapaud.

– D'ailleurs, ajouta-t-il avec un frisson d'horreur, qui sait ce que je serais devenu si elle ne s'était pas évanouie dans mon jardin avant de lancer sa pipette ?

Théo restait encore un peu sceptique : pourquoi Louise s'en prendrait-elle à ses amis ? Mais tous les autres étaient convaincus par les explications de Lucas. Non seulement Louise se transformait physiquement, mais en plus, elle devenait méchante : un instinct de sorcière la guidait désormais.

– Depuis son hospitalisation, ajoutèrent-ils, agacés par les réticences de Théo, aucun incident ne s'est reproduit. C'est bien la preuve que c'est elle qui lançait les pipettes.

La cloche sonna, rappelant Lucas et Léo à une réalité plus quotidienne : ils avaient encore une heure de français. Mais ils savaient que l'autre sixième devait justement suivre un cours de chimie avec M. Lesort : ils iraient le guetter à la sortie du laboratoire et lui parleraient des incidents survenus depuis la semaine dernière.

Basile trouva l'idée stupide : si le prof de chimie avait empoisonné ses élèves, il n'allait pas le leur avouer. Mais il ne réussit pas à les convaincre.

Basile, Théo et Louis décidèrent de s'acheter des sandwichs et d'attendre Lucas et Léo une heure au parc, non loin du collège. Ils avaient bien besoin de repos et eurent la bonne idée de me sortir de la boîte : je pus me dégourdir les pattes et me restaurer un peu.

– Nous sommes allés voir le prof de chimie.

9

SUR LA PISTE DE MONSIEUR LESORT

À 13 HEURES 30 précises, nous retournâmes attendre Lucas et Léo devant les grilles du collège. Le moineau nous reconnut et, tout de suite, s'approcha de nous. Les garçons nous rejoignirent rapidement, manifestement très excités.

– Nous sommes allés voir le prof de chimie, commença Lucas. Nous lui avons dit que, depuis son dernier cours, plusieurs de nos camarades ne se sentaient pas très bien et que nous craignions d'avoir manipulé des produits dangereux.

Nous étions tous suspendus à ses lèvres.

– Mais tu avais raison, Basile, reconnut Léo. Il s'est mis en colère, nous a traités de fous et s'est sauvé de la classe ! De fous ! Et encore, nous n'avons pas eu le temps de lui décrire les symptômes des copains !

– Bref, il ne s'est pas montré très coopératif. Mais pas question d'en rester là ! répliqua Lucas. Regardez, le voilà qui sort ! Suivons-le !

– Le voilà qui sort ! Suivons-le !

– D'accord ! approuvèrent les autres, entraînant malgré lui Théo qui demandait un délai de réflexion.

Leur filature les conduisit dans un quartier un peu éloigné du centre-ville, où se trouvaient nos écoles. Là, Basile sortit ma boîte du sac pour m'aérer : à travers les trous, je vis une vieille maison avec une petite tourelle sur le côté. Moi, elle me semblait plutôt jolie, mais les garçons, qui avaient brodé tout le long du chemin sur les pouvoirs maléfiques du prof de chimie, estimèrent que c'était typiquement une maison de sorcier.

– Regarde, souffla Léo, je suis sûr que c'est au sommet de ce donjon qu'il fabrique ses mixtures !

– Et là, ces herbes hautes, ce sont sûrement des plantes empoisonnées, lui répondit en écho Lucas.

– Lucas, chuchota Basile, tu veux bien expliquer à ton moineau que nous sommes en mission spéciale ? DISCRÉTION MAXIMUM EXIGÉE ! On nous voit à trois kilomètres à la ronde avec ce truc au-dessus de ta tête !

– Pas possible, coupa Léo, l'oiseau ne le quitte pratiquement jamais ! On a déjà eu un mal fou à lui interdire l'entrée de la classe.

– Mais enfin ! Arrête de postillonner ! cria Basile.

– Tu es fou de crier comme ça ! siffla Lucas entre ses dents. Tu veux nous faire repérer ou quoi ?

– Non, mais je voudrais t'y voir ! Il a fait un trou dans mon blouson ! Un blouson tout neuf ! Maman ne me croira jamais ! Tu m'imagines lui dire : «C'est pas ma faute, c'est Léo qui m'a postillonné dessus » ?

– Qu'est-ce que vous faites là ?

Quelle horreur ! Le prof de chimie avait fini par les repérer. Évidemment, il fallait être sourd pour ne pas les entendre ! Quelle équipe ! J'allais passer ma vie en crapaud à cause d'un moineau et d'un postillon ! J'enrageais...

– Sortez de ces buissons et venez ici ! Je vous ai vus, ne soyez pas idiots ! cria-t-il.

Penauds, les cinq garçons se dirigèrent vers la porte de la maison. Ils avaient l'air fin, les super-détectives ! Monsieur Lesort, lui, semblait furieux.

– Qu'est-ce que vous faites là ? Pourquoi m'avez-vous suivi ? Et qu'est-ce qui lui arrive, à celui-là ? ajouta-t-il en observant Léo.

Ils se tournèrent tous vers lui. Le pauvre avait tellement peur qu'il transpirait et son pull commençait à se trouer comme s'il était mangé par les mites !

C'était l'occasion rêvée d'aborder le problème, mais la colère du prof et l'état de Léo les avaient tous paralysés. Il fallait les réveiller. Je poussai un coassement terrible pour les faire réagir.

– Qu'est-ce que c'est que ce bruit ? demanda M. Lesort.

– C'est ma sœur, monsieur, lança Basile en lui tendant la boîte dans laquelle il m'avait enfermée. Elle ne se sent pas très bien depuis votre dernier cours de chimie...

– Mon Dieu, s'écria notre professeur en reconnaissant soudain Lucas et Léo, mais vous êtes tous complètement fous ! Et vous avez un sacré culot de venir me harceler jusque chez moi. Disparaissez ou nous nous retrouverons dès demain matin dans le bureau du principal !

La porte claqua devant les garçons sans qu'aucun d'eux ne réagisse ! J'étais découragée par leur manque de combativité.

D'un pas lent, ils quittèrent le jardin, puis s'arrêtèrent sur le trottoir pour se concerter.

– On n'a pas beaucoup avancé, reconnut Basile. Il nous a vraiment envoyés promener.

– Ne lui en voulez pas ! s'écria une voix, derrière la haie.

Les garçons sursautèrent, et moi aussi dans ma boîte ! Un petit garçon d'environ neuf ans nous rejoignit sur le trottoir.

– Bonjour, je m'appelle Benjamin Lesort, se présenta-t-il. Et ça, c'est Léa, ma sœur jumelle, ajouta-t-il en tirant une petite main à travers la haie. Notre père est un peu ours. C'est votre professeur de chimie ? Il faudra vous y faire : il est plus à l'aise avec les formules qu'avec les élèves ! Qu'est-ce que vous lui vouliez ?

– Notre père est un peu ours.

Les garçons restèrent muets, un peu déroutés par la franchise de Benjamin. Pouvaient-ils se confier à ces enfants et obtenir leur aide ? Léa, qui observait Léo depuis un moment, leur tendit involontairement une perche.

– Incroyable, s'écria-t-elle en pointant l'index en direction de Léo. Mais comment fais-tu cela ? Regarde, Benjamin, on dirait que les mailles de son pull sautent toutes seules les unes après les autres !

Pauvre Léo ! Il semblait lutter pour retenir des larmes qu'il savait brûlantes et encore plus destructrices. Basile, qui tenait encore ma boîte sous son bras, me jeta un regard. La situation de Léo ne le faisait plus rire du tout. Il fallait trouver rapidement une solution, et les enfants Lesort pouvaient peut-être nous aider. Il regarda les autres, poussa un soupir, puis se jeta à l'eau.

Au début de son récit, naturellement, Benjamin et Léa pensèrent que Basile se moquait d'eux : pas étonnant, se disaient-ils que leur père ait mis tous ces fous à la porte. Ils ne crurent pas un instant à ma métamorphose. Pour eux, le nombre de doigts aux pattes ne prouvait rien : c'était une erreur de la nature, voilà tout. Les

Les enfants Lesort pouvaient peut-être nous aider.

autres cas leur parurent aussi farfelus et sortis directement de l'imagination débordante de Basile. Mais l'état de Léo les laissa perplexes : après avoir vérifié qu'il n'y avait aucun truc derrière ce phénomène, ils commencèrent à croire à notre histoire. Bien sûr, ils refusaient d'admettre toute responsabilité de leur père dans ces mésaventures.

– Nous ne disons pas que votre père a volontairement provoqué ces malheureuses métamorphoses, conclut prudemment Basile, mais nous sommes obligés de constater que les coïncidences sont très troublantes. Essayez simplement d'en savoir un peu plus sur les produits qu'il utilise pour ses cours, ajouta-t-il, c'est très important pour nous.

Basile griffonna notre numéro de téléphone sur un bout de papier et le tendit à

Benjamin et Léa qui se regardèrent sans répondre. Après un moment d'hésitation, Benjamin le prit, puis il repartit sans mot dire vers la maison, suivi de sa sœur.

Sur le chemin du retour, les garçons restèrent très silencieux. Ils ne s'étaient pas opposés à l'initiative de Basile, mais ils craignaient maintenant de s'être montrés trop naïfs en se confiant ainsi aux propres enfants de celui qu'ils considéraient comme un sorcier. Et si Benjamin et Léa jetaient eux-mêmes des sorts à leurs camarades de classe, si les herbes si denses de cet incroyable jardin cachaient en réalité leurs victimes transformées en crapauds, lézards et autres monstruosités ?

D'un bond,
j'atterris sur
son estomac.

10 MONSIEUR LESORT A DISPARU !

À NOTRE arrivée à la maison, papa et maman n'étaient pas là : ils avaient dû retourner travailler aujourd'hui. Basile me lâcha dans le jardin ; je chassai quelques mulots, puis je le rejoignis. Il s'était allongé dans l'herbe, songeant certainement aux événements de ces dernières heures. Je m'approchai discrètement et, d'un bond, j'atterris sur son estomac. Je le fixai en roulant mes énormes yeux globuleux et déroulai une langue gigantesque jusque sous son nez ! Son air terrifié m'a ravie : en un instant, j'étais vengée de toutes les farces stupides qu'il m'infligeait quotidiennement. Fou

– C'était Benjamin. Son père a disparu !

de rage, il s'est levé en me projetant violemment à terre. Mais je revins à la charge, l'attaquant de tous côtés : il ne savait plus où donner de la tête et finit par éclater de rire. Nous avons encore joué un bon moment ensemble jusqu'à ce que la sonnerie du téléphone nous interrompe. Pendant que Basile allait répondre, je me demandai depuis combien de temps nous n'avions pas joué comme cela. Il avait fallu cette incroyable métamorphose pour que nous retrouvions une complicité oubliée depuis longtemps.

Perdue dans mes pensées, je n'entendis pas revenir Basile.

– C'était Benjamin, m'annonça-t-il, l'air soucieux. Son père a disparu ! Il est très inquiet et il m'a demandé de passer les voir. J'ai appelé Lucas, Léo, Louis et Théo pour leur donner rendez-vous chez les Lesort vers onze heures, ce soir. Nous avons décidé d'attendre que nos parents soient endormis pour sortir en catimini.

Lorsque papa et maman rentrèrent, Basile dîna avec eux. Il m'avait laissée dehors et je ne le vis réapparaître qu'à la nuit tombée. Papa et maman, épuisés, venaient de s'endormir devant la télévision, la main posée sur le téléphone. Basile me jeta dans un sac à dos et nous partîmes chez les Lesort.

À onze heures, tout le monde était au rendez-vous. Théo avait même apporté un calepin et un stylo, pour prendre des notes. Benjamin et Léa nous attendaient, très angoissés. Ils nous expliquèrent qu'ils se trouvaient seuls parce que leur mère passait la semaine à Berlin pour son travail.

– Papa a un peu bricolé dans le jardin, raconta Léa, puis il est monté au grenier,

comme il le fait souvent ces derniers temps. Généralement, le mercredi, il aime prendre un café à l'heure de notre goûter. Comme nous ne le voyions pas redescendre, je suis montée le chercher vers quatre heures et demie. Mais dans le grenier, il n'y avait personne ! Nous l'avons cherché dans toute la maison, mais il avait complètement disparu !

– C'est une catastrophe ! s'exclamèrent les cinq garçons. Allons dans la maison fouiller avec vous.

Nous montâmes rapidement au grenier. C'était un vrai capharnaüm. La chambre de Basile, à côté, c'était le repaire de la fée du logis. Devant nos mines surprises, Benjamin se sentit obligé de se justifier.

– Nous venons d'emménager, expliqua-t-il. Je crois que cette maison appartenait à la famille de papa depuis très longtemps. Chaque génération a dû entasser ses affaires dans le grenier et naturellement, il est encore en désordre. Pourtant, papa montait presque tous les jours pour le ranger.

Pendant qu'il parlait, les garçons s'avancèrent dans le grenier. Leurs yeux s'habituant à l'obscurité, ils découvraient des vieux livres, des chapeaux incroyables, des costumes très anciens : ce lieu qui leur avait d'abord paru très repoussant commençait à les charmer.

Tout au fond du grenier se détachait une masse sombre, recouverte d'objets étranges. Les garçons s'approchèrent prudemment.

– De vieux alambics sur une paillasse de laboratoire ! s'exclama Théo, qui commençait à trouver cette aventure à son goût. Mais où les avez-vous dégotés ?

– Je n'ai jamais vu ces vieux trucs, reconnut Léa. Toutes ces choses devaient déjà être là bien avant nous ! Papa a dû les utiliser... Regardez, là, à côté de cette mallette, l'un des récipients est encore tiède, et le liquide dans ce verre également.

– La mallette ! s'écria Lucas en l'apercevant. C'est celle qu'il avait apportée en classe !

Ils observèrent la mallette avec attention. Elle portait une inscription qu'ils réussirent à déchiffrer : ALPHONSE LESORT - 1412. Un sifflement d'admiration accompagna cette découverte : la mallette avait presque six cents ans !

– Lucas, regarde ton moineau, s'écria soudain Louis, occupé à observer les ustensiles qui se trouvaient sur la paillasse. Il boit ce qu'il y a dans le petit récipient encore tiède.

– Regardez, l'un des récipients est encore tiède.

– Eh ! l'oiseau, pousse-toi de là, ne bois pas ça ! cria Léo, rendu méfiant par sa propre mésaventure.

Trop tard ! Sous nos yeux exorbités – ceux des autres étaient aussi globuleux que les miens ! –, notre moineau se métamorphosa... en souris !

– C'est... c'est pas possible ! bégaya Benjamin. C'est un cauchemar ! Et si papa... ? Est-ce que vous pensez à la même chose que moi ?

Tous les autres, terrorisés, soufflèrent un « oui » qui se perdit dans le silence du grenier.

– Papa ! hurla Léa en se jetant à quatre pattes sur le parquet.

Bientôt elle se releva, blême sous la poussière noire qui lui couvrait le visage.

– Il y a des colonies de souris ici !

Benjamin ! LE CHAT !!! Va voir où il est et enferme-le dans un placard !

Benjamin dévalait déjà les escaliers, refermant les portes derrière lui. Léo essaya de calmer Léa, mais avec ses postillons, c'était encore pire ! Et maintenant, Léa pleurait son pull fichu !

– Basile, enferme ton crapaud ! ordonna Théo qui gardait encore un souvenir cuisant de mon festin dans sa petite ménagerie.

Que faire si tout le monde se transformait ?

Basile me remit rapidement dans le sac à dos. Je me sentis vraiment découragée. Que faire si tout le monde se transformait ? Tout allait à l'envers : je cherchais à retrouver une apparence humaine pour redevenir comme les autres, et c'étaient les autres qui me rejoignaient dans le monde animal !

– Ce n'est pas le moment de se décourager, reprit Basile après quelques

instants d'abattement. Léo, arrête un peu de pleurer : tu fais des trous même dans le parquet ! Sèche tes larmes et remuez-vous tous !

– Il a raison, dit Benjamin qui revenait. Je crois que nous devrions regarder ce grenier d'un peu plus près. Nous finirons par trouver une piste...

Chacun est donc parti inspecter son coin de grenier. Basile me libéra discrètement du sac à dos en me faisant promettre de me tenir tranquille, puis il me laissa sur la paillasse, entre les différents récipients. J'avais une vue sur tout le grenier. Tout à coup, je fus attirée par des mouvements, non loin de moi. Je me frayai un chemin avec précaution entre les fioles, les alambics et les réchauds, puis me penchai vers la troupe grouillante. Des souris ! Des dizaines de souris en plein festin ! Elles étaient en train de dévorer un énorme livre ! Le spectacle était fascinant ! J'en avais l'eau à la bouche. Je m'approchai encore. La tentation était vraiment très forte et je sentis l'instinct du crapaud reprendre le dessus. Je surplombais maintenant vraiment la scène, quand la conscience d'Héloïse s'évanouit brusquement. C'est donc une bête dominée par un appétit vorace qui sauta sauvagement sur les souris : affolées, les plus rapides détalèrent à travers le grenier, dans un concert de couinements assourdissants.

– Basile, ton sœur... enfin ton monstre ! cria Théo. Tu devais l'enfermer !

Fou de rage, il se précipita vers moi et me décocha un violent coup de pied pour m'éloigner et dégager les souris que j'avais encore sous les pattes. Le choc me permit de reprendre le contrôle de ma conscience. Pourtant, comme chez Théo, je n'arrivais pas réellement à partager le sentiment d'horreur de mes amis. Je les observais s'agiter, terrorisés à l'idée que j'aie pu manger la souris en laquelle s'était transformé M. Lesort. Je comprenais leur désarroi, mais je n'éprouvais pas leur émotion. Il me sembla que la part d'humanité reculait en moi, comme si ma métamorphose se poursuivait encore.

J'essayai d'imaginer ma vie en crapaud. Cette idée ne me répugnait même plus : je n'étais plus certaine que mon existence de petite fille soit plus enviable que celle d'un crapaud.

Pendant ma réflexion, la bande des sept s'était calmée. Basile tenait une souris dans ses mains avec de telles précautions que je compris qu'ils avaient retrouvé M. Lesort. Je les voyais tous penchés sur ce grand livre que se disputaient les souris avant mon irruption.

Théo expliqua doctement qu'il s'agissait certainement d'un grimoire, l'un de ces livres de magie qu'utilisaient autrefois les sorciers. Léo semblait aussi de cet avis : les fioles qui se trouvaient dans la mallette portaient toutes de petites étiquettes dont la calligraphie rappelait celle du livre. Le contenu des petits flacons devait permettre de confectionner les recettes des poisons et antidotes décrites dans le grimoire. Il fallait donc à présent déchiffrer ces formules magiques.

Le français a dû évoluer en six cents ans.

LES APPRENTIS SORCIERS 11

LES difficultés ne manquaient pas. L'écriture était si recherchée, si alambiquée, qu'elle rendait la lecture compliquée. Et puis, ils ne comprirent pas tous les mots : le français a dû bien évoluer en près de six cents ans.

Par exemple, en cherchant comment fabriquer l'antidote qui devait me rendre ma forme humaine, ils trouvèrent trois pages avec le mot « crapaud » dans le titre. Comment savoir s'il s'agissait de la bonne recette et non celle qui servait à transformer en crapaud ou, qui sait, à tuer un crapaud ? Le deuxième problème, c'étaient les dégâts provoqués par les souris qui avaient déjà grignoté quelques pages du livre !

– Nous ne pouvons pas hésiter plus longtemps ! s'exclama Benjamin. Il faut prendre une décision et expérimenter ces différentes recettes pour trouver la bonne.

– Ta sœur, ce gros ventre à pattes ?

– Et si nous buvons une mauvaise potion ? avança Léo.

– On pourrait essayer sur le crapaud, proposa Théo avec la certitude d'être soutenu par Lucas et les Lesort qui, dans cette affaire, avaient respectivement perdu un moineau et un père.

– Pas question de prendre le risque de tuer ma sœur, lui répliqua Basile.

– Ta sœur, ce gros ventre à pattes ? ironisa Théo, amer. Non, Basile, tu ne réussiras pas à m'émouvoir. Entre cette chose et Léo, j'ai choisi.

Basile lui lança un regard mauvais, puis

se tourna vers les autres pour trouver un appui. Les jumeaux détournèrent les yeux, gênés. L'affreuse bête que j'étais pour eux avait certes failli dévorer leur père ; en même temps, la solidarité et la confiance que manifestait Basile à mon égard les émouvaient. Ils comprenaient parfaitement ses sentiments.

Mais c'est Louis qui me sauva vraiment la vie.

C'est Louis qui me sauva vraiment la vie.

– Pourquoi ne pas essayer sur un cobaye neutre ? suggéra-t-il. On pourrait, par exemple, tenter de transformer un lézard en serpent. Le mieux serait même d'attraper trois lézards et de tester sur eux trois mixtures différentes. Nous saurons ainsi si un mot en particulier signifie la mort ou la destruction.

Son idée fut accueillie avec enthousiasme. Une demi-heure plus tard, tout était prêt. Nous avions obtenu trois préparations différentes en utilisant les substances contenues dans les fioles de la mallette, selon trois recettes du grimoire. Les trois petits reptiles rapidement capturés reçurent ensuite chacun leur dose de produit. Nous n'avons pas attendu très longtemps. Le premier lézard ne bougea plus, le deuxième perdit ses pattes et se transforma en serpent, le troisième se sauva.

– La troisième recette ne produit aucun effet, conclut rapidement Lucas.

À cet instant, le fugitif s'arrêta net, comme foudroyé. Il était mort. Sur la table, le premier lézard profita de la diversion pour s'échapper. La prudence l'avait simplement poussé à différer sa fuite.

– Ce mot-là doit donc signifier « métamorphose » et celui-ci « mort », reprit Lucas en montrant la deuxième et la troi-

– Ce mot-là doit signifier « métamorphose ».

sième formules. Éliminons les recettes qui comportent ces signes. Bien, qui se dévoue maintenant ? demanda-t-il en nous regardant, la souris, Léo et moi.

La souris s'avança vers lui. Plus de doute possible, c'était M. Lesort !

Elle s'approcha de la mixture que Théo lui présentait et la but. La bouche grande ouverte, le nez au ras de la paillasse, nous observâmes la souris. Son museau s'allongea. Elle frotta ses deux petites pattes avant. Ses pattes arrière fusionnèrent. Ses poils se mirent à pousser.

– Il y a un problème, il y a un problème, répéta Léo, paniqué dans son pull qui ressemblait désormais à une vieille serpillière. Re... reculez-vous !

Un petit nuage de fumée nous masqua la dernière étape de la métamorphose. Un oiseau s'envola à tire-d'aile.

Léa se mit à pleurer.

– Nous avons transformé papa en oiseau ! C'est épouvantable !

– Attendez ! cria Lucas, tandis que l'oiseau fondait sur lui et venait se réfugier dans ses cheveux. C'est mon moineau !

– LE MOINEAU !!! répétèrent les autres, interloqués. On l'avait complètement oublié ! Mais où est M. Lesort ?

Comment être certain que je n'avais pas avalé M. Lesort ?

FEU D'ARTIFICE CHEZ LES LESORT

12

DE NOUVEAU, leurs regards soupçonneux se tournèrent vers moi. J'avais dévoré plusieurs souris avant l'intervention de Théo : comment être certain que je n'avais pas avalé M. Lesort ?

– Écoutez, calmons-nous et réfléchissons, proposa Lucas qui retrouvait une nouvelle vigueur avec le retour de son moineau. Nous avons jusqu'ici supposé que M. Lesort avait été transformé en souris, mais nous n'en sommes pas certains. Regardez Héloïse, malgré sa nouvelle apparence, elle a cherché à entrer en contact avec sa famille. Le moineau lui-même a trouvé le moyen de se différencier des autres souris. Or, depuis notre arrivée dans ce grenier, M. Lesort ne s'est pas du tout manifesté !

J'étais tout à fait d'accord. J'avais l'apparence du crapaud, je sentais son instinct m'envahir mais, après quarante-huit heures, je continuais à penser comme un humain : il ne devait pas en être autrement pour M. Lesort. S'il se promenait en souris dans ce grenier, il aurait dû se rapprocher de nous !

– J'ai vraiment froid, à présent.

– C'est vrai, approuva Basile. Ma sœur a tout fait pour me mettre sur la piste !

– Écoutez, dit Léo, dont la situation devenait de plus en plus préoccupante, je me propose pour continuer l'expérience. J'ai vraiment froid, à présent, ajouta-t-il timidement.

En effet, ses vêtements ne formaient plus que des lambeaux. Il essayait de se protéger avec de vieilles couvertures, mais son corps continuait à produire cette incroyable substance qui brûlait toutes les matières.

Un quart d'heure plus tard, l'antidote était prêt. Léo approcha la coupe de ses lèvres. Il marqua un temps d'hésitation, fatal pour le lambeau de couverture restant, puis avala la mixture d'un coup. Nous retînmes notre souffle. L'attente rendait l'atmosphère pesante. Nous commencions à douter de l'efficacité de la formule, lorsque nous remarquâmes que la peau de Léo se couvrait progressivement de taches noires. Rapidement, les taches se rejoignirent pour former une surface homogène. Léo regardait sa métamorphose comme s'il s'agissait de quelqu'un d'autre. Il voyait sa peau noircir, s'assécher, craqueler, sans réagir. Il nous jeta un regard étrange avant de s'évanouir.

Léo approcha la coupe de ses lèvres.

Lentement, cette peau se détacha de lui, découvrant un Léo parfaitement intact ! La scène dura quelques minutes, puis il bougea et ouvrit les yeux, étonné de nous voir tous là. Nous avançâmes prudemment vers lui.

– Que s'est-il passé ? J'ai l'impression d'avoir dormi une éternité !

– Le Léo nouveau est arrivé ! plaisanta Benjamin. Mais tout va bien : apparemment, l'antidote a produit son effet. Descends avec moi, je vais te prêter des affaires ! Nous en prendrons aussi pour Héloïse.

C'était mon tour à présent, j'étais un peu inquiète : je me demandais si ça allait marcher, si j'allais souffrir, si je garderais des séquelles. Théo s'approcha avec la coupe.

– Bon courage, Héloïse, dit-il pour m'encourager. Et sans rancune !

Je fermai les yeux et bus d'un trait. Je

– Le Léo
nouveau
est arrivé !

Mince ! Où étaient-ils ?

n'osais regarder autour de moi et restais ainsi les yeux clos. Au bout d'un moment, j'entendis un murmure : il devait se passer quelque chose. J'attendis encore un moment, puis j'entrouvris un œil. Mince ! Où étaient-ils ? Je ne les voyais plus !

J'essayai de me retourner, mais je ne pouvais plus bouger. J'avais l'impression d'être prisonnière dans une boîte étroite. J'entendis un bruit sec, puis des cris très étouffés.

– Mais qu'est-ce que c'est que ce monstre ? Et qu'est-ce que vous faites tous là ? cria une voix grave.

Je vis des petites choses courir dans tous les sens dans un bruit assourdissant. Un insecte minuscule se posa entre mes deux yeux : c'était un moineau ! Je commençais à comprendre. J'avais enflé au point d'emplir le grenier de toute ma masse ! Je ne pouvais ni avancer, ni reculer : le moindre de mes gestes déclenchait des craquements et des hurlements terribles. Je sentis tout à coup mon corps enfler à nouveau. Un énorme « bang ! » secoua la maison, puis je perdis connaissance.

– Héloïse, c'était... féerique !

Lorsque je revins à moi, ils me regardaient tous avec l'air émerveillé du gamin qui vient juste de croiser le Père Noël.

– Héloïse, balbutia Basile, c'était... féerique ! Un vrai feu d'artifice !

J'avais explosé en une multitude de têtards qui avaient immédiatement donné corps à autant de petites grenouilles bondissantes. Elles avaient ensuite éclaté en millions de bulles multicolores. Les bulles s'élevaient dans les airs, virevoltaient puis allaient s'aggluti-

ner, intactes, sur le plancher.

– Ravie de faire ta connaissance ! dit Léa. Et nous avons déjà une bonne nouvelle à t'annoncer : tu n'as pas mangé notre père !

M. Lesort se tenait à quelques mètres de nous, atterré. Il avait regagné son grenier les bras chargés de livres qu'il était allé chercher à la bibliothèque. Passionné par les découvertes qu'il avait faites, il avait oublié l'heure. Rentré tard, il s'était inquiété de ne pas trouver les enfants endormis dans leur chambre et était monté au grenier d'où lui parvenaient des bruits. En ouvrant la porte, il avait vu ce monstre, ce crapaud de trois mètres de haut sur au moins dix mètres de large ! À côté, ses enfants, et ces sales mômes qu'il avait chassés l'après-midi même ! Cela faisait déjà beaucoup, mais quand le crapaud avait explosé en un feu d'artifice... il s'était effondré, catastrophé.

– Je suis désolé, les enfants ! Tout est de ma faute !

13
L'ESPRIT DES VIEUX MAGES

M. LESORT finit par reprendre ses esprits.

– Je suis désolé, les enfants ! Tout est de ma faute ! reconnut-il. J'ai trouvé les vieux grimoires dans ce grenier et j'ai été fasciné par les petites fioles qui l'accompagnaient. Je n'aurais pas dû les apporter en cours sans avoir testé les produits plus longuement. Cet après-midi, après votre passage, j'ai réfléchi et j'ai soudain été pris d'un mauvais pressentiment. Je suis monté au grenier pour observer la mallette de plus près et j'ai été surpris de voir mon nom et une date si ancienne gravés dans le couvercle. J'ai donc voulu en savoir davantage sur ma famille. C'est pourquoi j'ai passé tout ce temps aux archives de la bibliothèque. Et j'ai trouvé !

– Trouvé quoi ? demandèrent Benjamin et Léa, tendus.

– Il y a des siècles, raconta M. Lesort, notre ville n'était encore qu'un village entouré de bois hostiles. C'est dans ces bois que l'un de nos ancêtres, très pauvre, a bâti sa maison... celle où nous nous trouvons aujourd'hui ! Tous ses voisins, aussi peu fortunés que lui, essayaient de survivre tant bien que mal sur ces terres infertiles. L'un d'eux, un vieux mage que tous prenaient pour un fou, passait ses journées à chercher la substance magique qui guérirait la terre de son ingratitude et les tirerait ainsi de leur misère. Pendant des années, le vieux mage a donc testé des milliers de formules qu'il consignait dans

– Trouvé quoi ?

de grands livres. Ce n'est qu'à la fin de sa vie qu'il a trouvé : un engrais surpuissant ! En quelques mois, la terre aride est devenue un incroyable jardin où tout poussait sans le moindre effort de l'homme !

« Malheureusement, le pauvre homme n'a pas pu en profiter. Jaloux, les villageois sont venus brûler sa maison : ils l'ont accusé de sorcellerie et l'ont jeté en prison, où il a fini ses jours.

– C'est triste, mais ça n'explique pas ce que fait cette mallette dans votre grenier, a dit Basile.

– Le premier Lesort qui s'est installé dans cette maison a eu un fils, qui admirait beaucoup le vieux mage. Il avait passé des heures à l'épier et lorsque le vieillard s'en est rendu compte, il lui a proposé de l'initier. Aussi, quand les villageois ont commencé à mettre le feu à la

– Un engrais surpuissant !

maison du mage, mon ancêtre s'est précipité dans le laboratoire pour sauver tout ce qui pouvait l'être encore. Il a récupéré une grande partie de l'œuvre du vieil homme et a poursuivi ses expériences. Apparemment, quelques générations se sont succédé avec cette même passion puis, sans qu'on sache pourquoi, celle-ci s'est éteinte.

– Je ne suis pas sûre qu'elle se soit totalement éteinte chez les Lesort ! remarqua Léa en riant. Tu as métamorphosé une partie de ta classe de sixième !

Nous lui avons parlé des autres cas. Puis nous avons tous ri, soulagés, avant de redescendre. Il était très tard... et même très tôt. Nos parents n'allaient pas tarder à se réveiller et s'inquiéter s'ils ne nous trouvaient pas dans nos chambres. Nous devions partir.

Puis nous avons tous ri, soulagés.

– Ne vous inquiétez pas pour vos amis, dit M. Lesort, je m'en occupe. À bientôt, les enfants !

Nous lui rendîmes son signe amical. Il nous avait fait passer des heures pénibles, mais nous le lui pardonnions : l'esprit des mages soufflait en lui !

Lorsque nous nous retrouvâmes sur le trottoir, le jour se levait. Nous jetâmes un œil ému sur les herbes folles et luxuriantes du jardin qui avaient tant inquiété les garçons ce matin : le vieux mage avait quand même fait du bon travail !

Nous marchâmes longtemps sans un mot. Basile rompit le silence peu avant d'arriver à la maison.

– Dis donc, Héloïse, maintenant que tout est rentré dans l'ordre, j'aimerais que tu m'expliques ce que faisaient mes mitraillettes à boules sur ton armoire !

– Ce jouet m'énerve, Basile, je te l'ai dit cent fois. Je ne veux plus recevoir ces boules idiotes en pleine figure !

– Tu n'as pas le droit ! Attends, je vais te...

– À ta place, je serais très gentil avec moi.

– Et pourquoi ?

– J'ai recopié quelques formules qui pourraient te faire regretter ton insolence !

Table des matières

1. Un fantôme dans la chambre ? 9

2. Pauvre Louise ! 17

3. Héloïse a disparu ! 25

4. Drôle de crapaud ! 33

5. La bague d'Héloïse 41

6. Le crapaud démasqué 51

7. Le festin du crapaud 65

8. Basile mène l'enquête 85

9. Sur la piste de monsieur Lesort 101

10. Monsieur Lesort a disparu ! 113

11. Les apprentis sorciers 127

12. Feu d'artifice chez les Lesort 135

13. L'esprit des vieux mages 145

Christine Aubrée

À l'école primaire, elle écrivait et dessinait
Les aventures d'Isabelle et de ses amis.
Puis les choses sérieuses ont commencé :
le Brevet, le BAC, les études, le travail à la radio,
à l'Assemblée nationale et à l'*Étudiant,*
où elle écrit des livres pour les étudiants.
Autant d'activités qui l'ont éloignée de ses héros.
Elle les a finalement redécouverts en jouant
avec ses deux plus grands fils, Adrien et Corentin.
Elle lance les premières phrases d'une histoire,
puis chacun la continue à son tour.
Les règles du jeu sont simples, tous les coups sont permis :
les villes s'engloutissent,
les placards se peuplent de monstres terribles...
et les petites collégiennes bien sages se transforment
en sorcière, en schtroumpfette géante ou en crapaud...

Stanislas Barthélémy

Influences

Tintin, Jo, Zette et Jocko par Hergé,
Zig et Puce par Saint Ogan.

Amours

La mer, les forêts, les insectes,
les sous-marins, les avions, les cosmonautes,
la bande dessinée, le cinéma.

Haines

Le béton, la pollution, le bruit.

Parcours

Lire des bandes dessinées,
faire des bandes dessinées.

Envies

Un voyage sur Mars.

COLLECTION LUNE NOIRE

POLICIER

DÈS 9 ANS :

12. *Trois Aventures de l'Ogre-doux*
Jean-Loup Craipeau

DÈS 10-11 ANS :

5. *Un chien dans un jeu de quilles*
Thierry Lenain
8. *Gare au carnage, Amédée Petipotage !*
Jean-Loup Craipeau
9. *Le Jour de tous les mensonges*
Hubert Ben Kemoun

DÈS 12-13 ANS :

2. *Le Dernier jour*
Hubert Ben Kemoun
4. *Lapoigne et l'Ogre du métro*
Thierry Jonquet
10. *Train d'enfer* • Michel Amelin

FANTASTIQUE

DÈS 9 ANS :

1. *Contes du cimetière après la pluie*
Yak Rivais
3. *Au secours, je suis invisible !*
Gudule
11. *L'école qui n'existait pas* • Gudule

DÈS 10-11 ANS :

7. *Magie noire au collège*
Christine Aubrée

DÈS 12-13 ANS :

6. *La Montre infernale*
François Sautereau

COLLECTION PLEINE LUNE

DÈS 9 ANS :

5. *Gaël et Réséda*
Dominique Buisset
16. *Les Malheurs de Sophie*
Comtesse de Ségur
25. *Le 397e Éléphant blanc*
René Guillot
33. *Les Nougats* • Claude Gutman
34. *Le Dragon déglingué*
Jean-Loup Craipeau
43. *L'Étrange Madame Mizu*
Thierry Lenain
50. *L'Inventeur* • René Escudié
56. *À l'abordage, Mamadou Courage !*
Jean-Loup Craipeau
63. *Augustin et Amandine*
Geneviève Le Moal
66. *Le Club des secrets*
Elsa Devernois
69. *Sale temps pour les grenouilles !*
Gilles Fresse

DÈS 10-11 ANS :

6. *Cabot-Caboche* • Daniel Pennac
7. *L'Œil du loup* • Daniel Pennac
8. *Opération Marcellin*
Claire Mazard
9. *L'Expédition perdue* • Pierre Pelot
12. *Croc-Blanc* • Jack London
13. *Vingt Mille Lieues sous les mers*
Jules Verne
15. *Le Fil à retordre* • Claude Bourgeyx
18. *Kerri et Mégane et les Mange-Forêts* • Kim Aldany
19. *Contes et Légendes des chevaliers de la Table Ronde*
Jacqueline Mirande
21. *Contes et Légendes de la mythologie grecque*
Claude Pouzadoux
22. *Contes et Légendes de l'Égypte ancienne*
Brigitte Évano

23. *Les 777 pouvoirs* • Renée Billot
26. *Sur la piste du loup*
Daniel Meynard
27. *Gazoline et Grenadine*
Jean-Loup Craipeau
35. *Le Renard de Morlange*
Alain Surget
36. *Les Horloges de la nuit*
Roderic Jeffries
37. *La Rédac* • Évelyne Reberg
41. *Pinocchio* • Carlo Collodi
44. *Le Redoublant* • Claire Mazard
45. *Contes et Légendes du Moyen Âge*
Jacqueline Mirande
47. *Le Secret de la falaise*
Yves Pinguilly
48. *Racamiel et Rigobert*
François Sautereau
49. *La Ballade d'Aïcha*
Robert Boudet
52. *Chlaganoir*
Évelyne Reberg et Guy Jimenes
53. *Kerri et Mégane et les Transmiroirs*
Kim Aldany
57. *Prisonniers des sables*
Yves-Marie Clément
58. *Pour l'amour de la Marie-Étoile*
Sylvie Queyron
59. *Un alligator pour la vie*
François Zabaleta
62. *La Route du danger*
Roderic Jeffries
64. *Mes chers voisins*
Gérard Moncomble
65. *Le Puma aux yeux d'émeraude*
Yves-Marie Clément
70. *Le Manège de l'oubli* • Gudule
73. *Sous une bonne étoile*
Daniel Meynard
75. *Dur, dur d'être top model !*
Michel Amelin
76. *Kerri et Mégane-Brocantic trafic*
Kim Aldany

DÈS 12-13 ANS :

11. *Contes et Légendes de l'Odyssée*
Jean Martin
14. *La Guerre du Feu*
J.-H. Rosny aîné
20. *Contes et Légendes de la naissance de Rome*
François Sautereau
24. *Contes et Légendes de l'Iliade* Jean Martin
30. *Dans les forêts de la nuit*
Nadèjda Garrel
31. *Lapoigne à la chasse aux fantômes*
Thierry Jonquet
32. *Jalouve* • Éric Sanvoisin
40. *Le Secret de la pierre noire*
Patrick Grainville
42. *Aïna, Fille des étoiles*
Christian Grenier
46. *La Chanson de Hannah*
Jean-Paul Nozière
54. *Lapoigne et la Fiole mystérieuse*
Thierry Jonquet
60. *Aïna et le Secret des oglonis*
Christian Grenier
61. *Le Jour du meurtre*
Hubert Ben Kemoun
67. *Le Secret du verre bleu*
Tomiko Inui
68. *Les Ouraniens de Brume*
Joëlle Wintrebert
71. *Aïna et le Pirate de la Comète*
Christian Grenier
72. *Lapoigne à la Foire du Trône*
Thierry Jonquet
74. *Pique et pique école et drame*
Jo Hoestlandt
77. *L'Incroyable Retour*
Évelyne Brisou-Pellen
78. *Aïna-Kaha, Supermaki !*
Chritian Grenier

N° d'Éditeur 10041493 (I) (8) OSBTO 90°
Dépôt légal : septembre 1997
MAME Imprimeurs à Tours
Loi numéro 49 956 du 16 juillet 1949
sur les publications destinées à la jeunesse
ISBN 2-09-282221-7